#연산반복학습
#생활속계산
#문장읽고계산식세우기
#학원에서검증된문제집

수학리더
연산

**Chunjae
Makes
Chunjae**

▼

기획총괄	박금옥
편집개발	지유경, 정소현, 조선영, 최윤석
디자인총괄	김희정
표지디자인	윤순미, 박민정
내지디자인	박희춘
제작	황성진, 조규영

발행일	2021년 10월 15일 초판 2022년 10월 1일 2쇄
발행인	(주)천재교육
주소	서울시 금천구 가산로9길 54
신고번호	제2001-000018호
고객센터	1577-0902
교재 구입 문의	1522-5566

수학
리더

연산
3-A

차례

이 책의 구성과 특징

| 이번에 배울 내용을 알아볼까요?

공부할 내용을 만화로 재미있게 확인할 수 있습니다.

기초 계산 연습

계산 원리와 방법을 한눈에
익힐 수 있고 계산 반복 훈련으로
확실하게 익힐 수 있습니다.

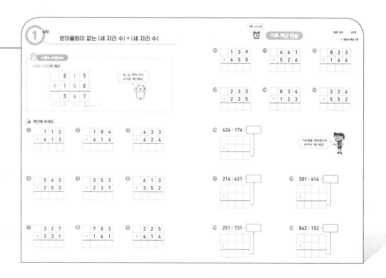

플러스 계산 연습

다양한 형태의 계산 문제를 반복하여
완벽하게 익힐 수 있습니다.

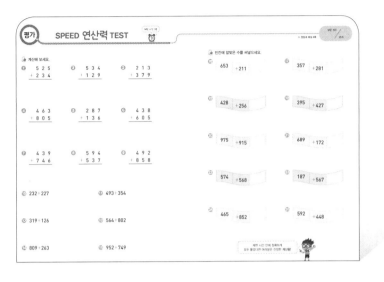

평가 **SPEED 연산력 TEST**

배운 내용을 테스트로 마무리 할 수 있습니다.

특강 **문장제 문제 도전하기**

단순 연산 문제와 함께 문장제 문제도 연습할 수 있습니다.

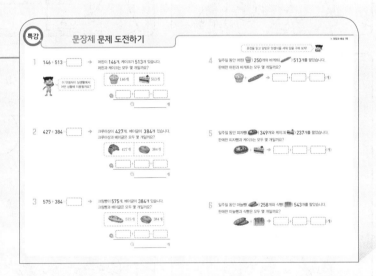

특강 **창의·융합·코딩·도전하기**

요즘 수학 문제인 창의·융합·코딩 문제를 수록하였습니다.

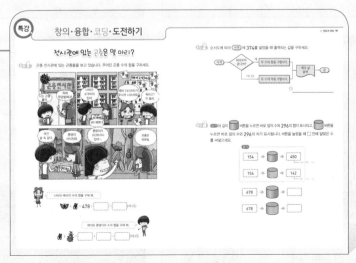

① 덧셈과 뺄셈

 실생활에서 알아보는 재미있는 수학 이야기

이번에 배울 내용을 알아볼까요?

받아올림이 없는 (세 자리 수)＋(세 자리 수)

🐻 **이렇게 해결하자**

• 215＋152의 계산

	2	1	5
＋	1	5	2
	3	6	7

2＋1＝3 ┘   1＋5＝6 ┘   └ 5＋2＝7

일, 십, 백의 자리
순서로 계산해요.

🐻 계산해 보세요.

①

	1	1	2
＋	4	1	3

②

	1	8	4
＋	6	1	4

③

	4	3	3
＋	4	2	4

④

	5	4	3
＋	2	0	3

⑤

	3	5	2
＋	2	3	7

⑥

	6	1	3
＋	3	5	2

⑦

	3	2	7
＋	3	3	1

⑧

	7	0	3
＋	1	6	1

⑨

	2	2	5
＋	4	1	4

덧셈과 뺄셈

기초 계산 연습

⑩
```
    1 3 9
+   6 5 0
```

⑪
```
    4 4 1
+   5 2 6
```

⑫
```
    8 2 3
+   1 6 4
```

⑬
```
    2 3 3
+   2 3 5
```

⑭
```
    8 3 4
+   1 2 3
```

⑮
```
    3 2 4
+   5 5 2
```

⑯ 624+174＝ [ ]

가로셈을 세로셈으로
바꾸어 계산해요.

⑰ 214+421＝ [ ]

⑱ 501+414＝ [ ]

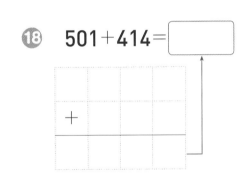

⑲ 251+731＝ [ ]

⑳ 842+152＝ [ ]

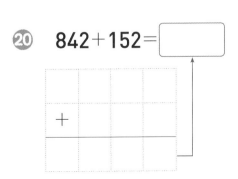

1

덧셈과 뺄셈

7

받아올림이 없는 (세 자리 수)＋(세 자리 수)

 계산해 보세요.

1 423＋264＝ ☐

2 782＋114＝ ☐

3 265＋131＝ ☐

4 655＋321＝ ☐

5 475＋513＝ ☐

6 564＋205＝ ☐

빈칸에 두 수의 합을 써넣으세요.

7

425	153

8

241	705

9

537	152

10

216	371

11

317	361

12

415	474

생활 속 계산

🐻 농장에서 키우는 동물의 무게입니다. 동물의 무게의 합을 구하세요.

동물	젖소	돼지	말	타조	양
무게(kg)	425	251	674	152	213

└── kg: 무게의 단위로 '킬로그램'이라고 읽습니다.

13

➡ 425+251= ☐ (kg)

14

➡ 152+213= ☐ (kg)

15

➡ 674+ ☐ = ☐ (kg)

16

➡ ☐ +152= ☐ (kg)

1

덧셈과 뺄셈

9

문장 읽고 계산식 세우기

17   254보다 314만큼 더 큰 수는?

식   254+ ☐ = ☐

18   537과 452의 합은?

식   ☐ +452= ☐

19   사과는 352개, 감은 217개 있다면 사과와 감은 모두 몇 개?

식 352+ ☐ = ☐ (개)

20   사탕은 413개, 초콜릿은 165개 있다면 사탕과 초콜릿은 모두 몇 개?

식 413+ ☐ = ☐ (개)

받아올림이 1번 있는 (세 자리 수)＋(세 자리 수)(1)

이렇게 해결하자

• 257＋529의 계산 — 일의 자리에서 받아올림이 있는 (세 자리 수)＋(세 자리 수)

```
        1
    2   5   7
 +  5   2   9
 ─────────────
    7   8   6
```

2+5=7 ─┘   1+5+2=8 ─┘   └─ 7+9=16

일의 자리 수끼리의 합이
10이거나 10보다 크면 십의 자리로
받아올림하여 계산해요.

👓 계산해 보세요.

❶
```
    1   7   8
 +  2   1   4
 ─────────────
```

❷
```
    7   1   6
 +  1   5   6
 ─────────────
```

❸
```
    1   3   5
 +  4   3   9
 ─────────────
```

❹
```
    5   1   8
 +  1   7   9
 ─────────────
```

❺
```
    2   5   7
 +  5   2   9
 ─────────────
```

❻
```
    2   7   8
 +  3   1   8
 ─────────────
```

❼
```
    1   4   5
 +  8   3   9
 ─────────────
```

❽
```
    5   6   4
 +  2   1   6
 ─────────────
```

❾
```
    6   2   6
 +  2   6   8
 ─────────────
```

⑩
```
    4 4 3
+   2 2 8
─────────
```

⑪
```
    2 1 2
+   4 5 9
─────────
```

⑫
```
    7 3 9
+   2 1 8
─────────
```

⑬
```
    3 7 7
+   4 1 7
─────────
```

⑭
```
    3 4 7
+   5 4 3
─────────
```

⑮
```
    5 6 7
+   1 0 8
─────────
```

⑯ $615 + 249 = $ ⬜

일의 자리 수끼리의 합이
10이거나 10보다 크면
십의 자리로 받아올림하여
계산해요.

⑰ $139 + 312 = $ ⬜

⑱ $245 + 526 = $ ⬜

⑲ $868 + 106 = $ ⬜

⑳ $245 + 245 = $ ⬜

1

덧셈과 뺄셈

11

받아올림이 1번 있는 (세 자리 수)＋(세 자리 수)(1)

🐻 계산해 보세요.

1 156＋435＝ ⬚

2 527＋358＝ ⬚

3 237＋416＝ ⬚

4 149＋731＝ ⬚

5 628＋147＝ ⬚

6 234＋226＝ ⬚

🐻 빈칸에 알맞은 수를 써넣으세요.

7 312 → ＋149 → ⬚

8 138 → ＋458 → ⬚

9 249 → ＋314 → ⬚

10 345 → ＋328 → ⬚

11 619 → ＋154 → ⬚

12 427 → ＋226 → ⬚

플러스 계산 연습

생활 속 **계산**

 나무의 높이의 합을 구하세요.

13

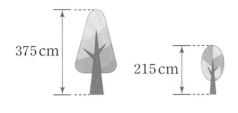

375 cm

215 cm

$375 + 215 = \boxed{}$ (cm)

14

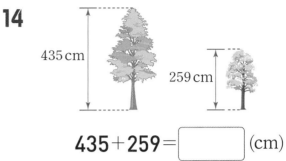

435 cm

259 cm

$435 + 259 = \boxed{}$ (cm)

15

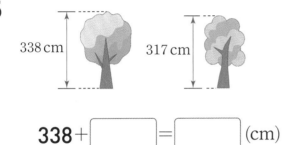

338 cm

317 cm

$338 + \boxed{} = \boxed{}$ (cm)

16

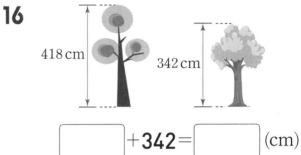

418 cm

342 cm

$\boxed{} + 342 = \boxed{}$ (cm)

문장 **읽고 계산식 세우기**

17 237보다 159만큼 더 큰 수는?

식 $237 + \boxed{} = \boxed{}$

18 457과 418의 합은?

식 $\boxed{} + 418 = \boxed{}$

19 동화책은 173권이고 위인전은 동화책보다 108권 더 많다면 위인전은 몇 권?

식 $173 + \boxed{} = \boxed{}$ (권)

20 야구장에 온 여자는 238명, 남자는 358명일 때 야구장에 온 사람은 모두 몇 명?

식 $\boxed{} + 358 = \boxed{}$ (명)

3 일차 받아올림이 1번 있는 (세 자리 수)＋(세 자리 수)(2)

이렇게 해결하자

• 265＋473의 계산 — 십의 자리에서 받아올림이 있는 (세 자리 수)＋(세 자리 수)

```
        1
      2  6  5
   +  4  7  3
   ─────────────
      7  3  8
```
1＋2＋4＝7   6＋7＝13   5＋3＝8

십의 자리 수끼리의 합이 10이거나 10보다 크면 백의 자리로 받아올림하여 계산해요.

🐻 계산해 보세요.

①
```
     2  5  1
  +  1  6  5
  ──────────
```

②
```
     3  8  1
  +  1  6  7
  ──────────
```

③
```
     4  7  2
  +  2  3  3
  ──────────
```

④
```
     1  9  6
  +  2  5  3
  ──────────
```

⑤
```
     4  7  2
  +  2  5  3
  ──────────
```

⑥
```
     1  4  5
  +  5  8  2
  ──────────
```

⑦
```
     2  8  3
  +  2  3  5
  ──────────
```

⑧
```
     5  6  1
  +  3  6  8
  ──────────
```

⑨
```
     6  9  2
  +  2  9  4
  ──────────
```

1

덧셈과 뺄셈

14

⑩
```
   6 7 3
+  2 8 3
─────────
```

⑪
```
   5 6 1
+  3 4 7
─────────
```

⑫
```
   3 8 2
+  1 8 4
─────────
```

⑬
```
   3 9 4
+  5 2 4
─────────
```

⑭
```
   2 5 2
+  2 8 7
─────────
```

⑮
```
   4 7 2
+  3 9 6
─────────
```

⑯ 353+374=

십의 자리 수끼리의 합이 10이거나 10보다 크면 백의 자리로 받아올림하여 계산해요.

⑰ 544+183=

⑱ 167+261=

⑲ 691+244=

⑳ 366+182=

1

덧셈과 뺄셈

15

받아올림이 1번 있는 (세 자리 수) + (세 자리 수)(2)

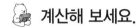 계산해 보세요.

1 372+363= ☐

2 426+193= ☐

3 463+375= ☐

4 623+184= ☐

5 382+150= ☐

6 240+378= ☐

빈칸에 알맞은 수를 써넣으세요.

7 | 387 + 421 = |

8 | 591 + 245 = |

9 | 625 + 194 = |

10 | 392 + 137 = |

11 | 464 + 273 = |

12 | 166 + 382 = |

생활 속 계산

🐻 채소 가게에 있는 종류별 채소의 수입니다. 채소 수의 합을 구하세요.

채소	감자	당근	양파	파프리카	가지
개수(개)	493	254	162	375	452

13  ➔ 493＋375 = ☐ (개)

14  ➔ 254＋162 = ☐ (개)

15 ➔ 493＋☐ = ☐ (개)

16 ➔ ☐ ＋162 = ☐ (개)

문장 읽고 계산식 세우기

17 382보다 145만큼 더 큰 수는?

식 382＋☐ = ☐

18 561과 274의 합은?

식 ☐ ＋274 = ☐

19 종이학은 381개 접었고 종이배는 종이학보다 253개 더 많이 접었다면 접은 종이배는 몇 개?

식 381＋☐ = ☐ (개)

20 안경을 쓴 학생은 285명, 안경을 쓰지 않은 학생은 124명일 때 전체 학생은 몇 명?

식 ☐ ＋124 = ☐ (명)

받아올림이 1번 있는 (세 자리 수)＋(세 자리 수)(3)

- 827＋561의 계산 — 백의 자리에서 받아올림이 있는 (세 자리 수)＋(세 자리 수)

	8	2	7
＋	5	6	1
1	3	8	8

8＋5＝13   2＋6＝8   7＋1＝8

백의 자리에서
받아올림이 있으면
천의 자리에 1을 써요.

1 계산해 보세요.

❶
	9	7	2
＋	5	1	4

❷
	7	1	6
＋	7	5	3

❸
	6	5	3
＋	7	2	1

❹
	5	1	3
＋	5	7	1

❺
	8	5	3
＋	5	2	6

❻
	5	3	8
＋	6	4	1

❼
	9	4	5
＋	8	3	1

❽
	5	6	4
＋	7	1	4

❾
	7	3	0
＋	4	5	8

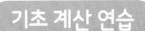
⑩
```
    4 4 3
+   9 2 2
```

⑪
```
    2 5 4
+   8 1 4
```

⑫
```
    7 3 2
+   4 1 5
```

⑬
```
    8 7 4
+   8 1 2
```

⑭
```
    4 4 1
+   6 4 3
```

⑮
```
    5 2 6
+   8 0 1
```

⑯ 615+944=

```
+
```

백의 자리에서
받아올림이 있으면
천의 자리에 1을 써요.

덧셈과 뺄셈

1

⑰ 931+312=

```
+
```

⑱ 342+726=

```
+
```

⑲ 868+601=

```
+
```

⑳ 547+711=

```
+
```

받아올림이 1번 있는 (세 자리 수)＋(세 자리 수)(3)

 계산해 보세요.

1 642＋735＝ ☐

2 773＋812＝ ☐

3 723＋312＝ ☐

4 914＋943＝ ☐

5 425＋632＝ ☐

6 377＋912＝ ☐

빈칸에 알맞은 수를 써넣으세요.

7
531	＋941

8
813	＋582

9
824	＋834

10
541	＋745

11
641	＋628

12
530	＋835

플러스 계산 연습

생활 속 계산

🐻 과일의 무게의 합을 구하세요.

g: 무게의 단위로 '그램'이라고 읽습니다.

13

625 g   713 g

625 + 713 = ⬚ (g)

14

835 g   452 g

835 + 452 = ⬚ (g)

15

370 g   905 g

370 + ⬚ = ⬚ (g)

16

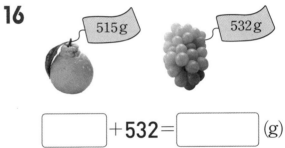

515 g   532 g

⬚ + 532 = ⬚ (g)

1

덧셈과 뺄셈

문장 읽고 계산식 세우기

17   612와 543의 합은?

식   612 + ⬚ = ⬚

18   307보다 781만큼 더 큰 수는?

식   ⬚ + 781 = ⬚

19   토마토를 어제 945개, 오늘 124개 땄다면 어제와 오늘 딴 토마토는 모두 몇 개?

식   945 + ⬚ = ⬚ (개)

20   남자 621명, 여자 541명이 운동장에 있다면 운동장에 있는 사람은 모두 몇 명?

식   ⬚ + 541 = ⬚ (명)

받아올림이 2번 있는 (세 자리 수)＋(세 자리 수)(1)

이렇게 해결하자

• 476＋258의 **계산** — 일, 십의 자리에서 받아올림이 있는 (세 자리 수)＋(세 자리 수)

```
  1   1
  4   7   6
+ 2   5   8
─────────────
  7   3   4
```

1＋4＋2＝7 ┘   1＋7＋5＝13   ┘ 6＋8＝14

각 자리 수끼리의 합이 10이거나 10보다 크면 받아올림하여 계산해요.

🐻 계산해 보세요.

❶
```
    7 2 7
  + 1 8 4
─────────
```

❷
```
    6 5 8
  + 2 7 3
─────────
```

❸
```
    2 5 9
  + 2 8 3
─────────
```

❹
```
    4 4 3
  + 2 8 8
─────────
```

❺
```
    2 3 7
  + 1 7 6
─────────
```

❻
```
    3 8 8
  + 5 4 3
─────────
```

❼
```
    2 1 8
  + 3 9 6
─────────
```

❽
```
    5 3 3
  + 2 8 9
─────────
```

❾
```
    4 4 5
  + 1 5 7
─────────
```

1

덧셈과 뺄셈

기초 계산 연습

▶ 정답과 해설 3쪽

⑩
```
    3  4  4
+   3  6  7
```

⑪
```
    2  7  9
+   2  9  1
```

⑫
```
    1  3  5
+   2  7  5
```

⑬
```
    5  9  2
+   3  8  9
```

⑭
```
    2  2  9
+   3  9  8
```

⑮
```
    6  1  6
+   1  8  8
```

⑯ 283+487=

```
+
```

각 자리 수끼리의 합이 10이거나 10보다 크면 받아올림하여 계산해요.

⑰ 275+268=

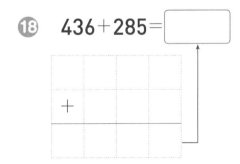

⑱ 436+285=

⑲ 446+356=

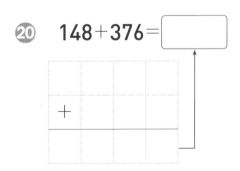

⑳ 148+376=

받아올림이 2번 있는 (세 자리 수)＋(세 자리 수)(1)

🐻 계산해 보세요.

1 128＋497＝

2 653＋287＝

3 257＋358＝

4 465＋159＝

5 457＋483＝

6 395＋248＝

🐻 수직선을 보고 ⬜ 안에 알맞은 수를 써넣으세요.

7
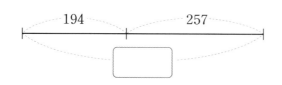
194   257

8
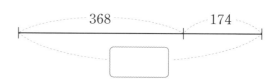
368   174

9
568   387

10
454   279

11
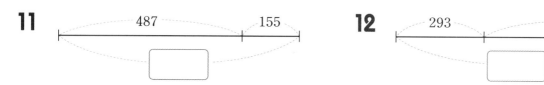
487   155

12
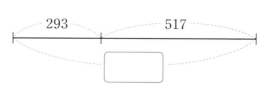
293   517

플러스 계산 연습

▶ 정답과 해설 3쪽

생활 속 계산

🐻 집에서 장소를 거쳐 학교까지의 거리를 구하세요.

13
집 ---- 277 m ---- 교회 ---- 328 m ---- 학교

$277 + 328 = $ ☐ (m)

14
집 ---- 359 m ---- 도서관 ---- 265 m ---- 학교

$359 + 265 = $ ☐ (m)

15
경찰서
집 ---- 428 m ---- 경찰서 ---- 288 m ---- 학교

$428 + $ ☐ $ = $ ☐ (m)

16
병원
집 ---- 276 m ---- 병원 ---- 484 m ---- 학교

☐ $ + 484 = $ ☐ (m)

문장 읽고 계산식 세우기

17 256과 155의 합은?

식 $256 + $ ☐ $ = $ ☐

18 249보다 375만큼 더 큰 수는?

식 ☐ $ + 375 = $ ☐

19 단팥빵은 457개, 크림빵은 294개 있다면 단팥빵과 크림빵은 모두 몇 개?

식 $457 + $ ☐ $ = $ ☐ (개)

20 지우개는 176개, 풀은 246개 있다면 지우개와 풀은 모두 몇 개?

식 ☐ $ + 246 = $ ☐ (개)

받아올림이 2번 있는 (세 자리 수)＋(세 자리 수)(2)

• 872＋383의 계산 — 십, 백 또는 일, 백의 자리에서 받아올림이 있는 (세 자리 수)＋(세 자리 수)

$$
\begin{array}{r}
1 \\
8\ 7\ 2 \\
+\ 3\ 8\ 3 \\
\hline
1\ 2\ 5\ 5
\end{array}
$$

각 자리 수끼리의 합이 10이거나 10보다 크면 받아올림하여 계산해요.

1+8+3=12   7+8=15   2+3=5

🐻 계산해 보세요.

❶
$$
\begin{array}{r}
7\ 5\ 1 \\
+\ 7\ 8\ 4 \\
\hline
\end{array}
$$

❷
$$
\begin{array}{r}
6\ 7\ 2 \\
+\ 8\ 5\ 3 \\
\hline
\end{array}
$$

❸
$$
\begin{array}{r}
9\ 2\ 3 \\
+\ 3\ 8\ 5 \\
\hline
\end{array}
$$

❹
$$
\begin{array}{r}
4\ 7\ 3 \\
+\ 8\ 5\ 4 \\
\hline
\end{array}
$$

❺
$$
\begin{array}{r}
7\ 6\ 1 \\
+\ 6\ 5\ 2 \\
\hline
\end{array}
$$

❻
$$
\begin{array}{r}
5\ 4\ 6 \\
+\ 4\ 6\ 3 \\
\hline
\end{array}
$$

❼
$$
\begin{array}{r}
6\ 1\ 3 \\
+\ 8\ 2\ 9 \\
\hline
\end{array}
$$

❽
$$
\begin{array}{r}
5\ 3\ 8 \\
+\ 5\ 2\ 9 \\
\hline
\end{array}
$$

❾
$$
\begin{array}{r}
5\ 1\ 7 \\
+\ 9\ 5\ 7 \\
\hline
\end{array}
$$

1 덧셈과 뺄셈

⑩
```
    9  4  4
+   9  1  7
```

⑪
```
    7  4  8
+   3  4  6
```

⑫
```
    9  3  5
+   2  3  8
```

⑬
```
    5  2  7
+   9  4  3
```

⑭
```
    8  3  9
+   8  3  9
```

⑮
```
    5  2  4
+   7  6  8
```

⑯ 922+893=

```
    
+   
```

각 자리 수끼리의 합이
10이거나 10보다 크면
받아올림하여 계산해요.

1

덧셈과 뺄셈

27

⑰ 572+682=

```
    
+   
```

⑱ 634+875=

```
    
+   
```

⑲ 836+537=

```
    
+   
```

⑳ 827+743=

```
    
+   
```

받아올림이 2번 있는 (세 자리 수)+(세 자리 수)(2)

 계산해 보세요.

1 894+251=◻️

2 683+925=◻️

3 463+785=◻️

4 365+817=◻️

5 648+847=◻️

6 605+479=◻️

빈칸에 알맞은 수를 써넣으세요.

7 812 → +497 → ◻️

8 653 → +954 ◻️

9 392 → +753 → ◻️

10 385 → +908 → ◻️

11 427 → +743 → ◻️

12 657 → +528 → ◻️

덧셈과 뺄셈

1

생활 속 계산

🐻 문구점에 있는 학용품의 수입니다. 학용품 수의 합을 구하세요.

학용품	지우개	풀	가위	수첩	크레파스
개수(개)	652	493	539	657	524

13

→ 652+493= ☐ (개)

14

→ 539+657= ☐ (개)

15

→ 493+ ☐ = ☐ (개)

16

→ ☐ +657= ☐ (개)

문장 읽고 계산식 세우기

17 752보다 483만큼 더 큰 수는?

식 752+ ☐ = ☐

18 483과 564의 합은?

식 ☐ +564= ☐

19 장미는 618송이, 튤립은 532송이 있다면 장미와 튤립은 모두 몇 송이?

식 ☐ +532= ☐ (송이)

20 구슬을 혁재는 425개, 재민이는 947개 가지고 있다면 두 사람이 가지고 있는 구슬은 모두 몇 개?

식 425+ ☐ = ☐ (개)

받아올림이 3번 있는 (세 자리 수)＋(세 자리 수)

이렇게 해결하자

• 369＋845의 계산

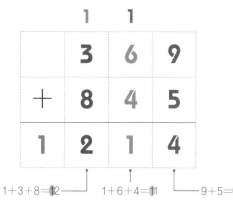

$$
\begin{array}{r}
{\scriptstyle 1\ \ 1}\\
3\ 6\ 9\\
+\ 8\ 4\ 5\\
\hline
1\ 2\ 1\ 4
\end{array}
$$

1＋3＋8＝12   1＋6＋4＝11   9＋5＝14

백의 자리에서 받아올림한 수는 받아올림으로 작게 표시하지 않고 그대로 천의 자리에 써요.

🐻 계산해 보세요.

①
$$
\begin{array}{r}
1\ 7\ 8\\
+\ 8\ 6\ 7\\
\hline
\end{array}
$$

②
$$
\begin{array}{r}
5\ 9\ 7\\
+\ 6\ 5\ 6\\
\hline
\end{array}
$$

③
$$
\begin{array}{r}
6\ 5\ 7\\
+\ 4\ 7\ 9\\
\hline
\end{array}
$$

④
$$
\begin{array}{r}
4\ 5\ 9\\
+\ 7\ 4\ 4\\
\hline
\end{array}
$$

⑤
$$
\begin{array}{r}
9\ 0\ 6\\
+\ 1\ 9\ 6\\
\hline
\end{array}
$$

⑥
$$
\begin{array}{r}
5\ 2\ 9\\
+\ 8\ 9\ 9\\
\hline
\end{array}
$$

⑦
$$
\begin{array}{r}
6\ 6\ 4\\
+\ 9\ 4\ 8\\
\hline
\end{array}
$$

⑧
$$
\begin{array}{r}
8\ 2\ 1\\
+\ 7\ 8\ 9\\
\hline
\end{array}
$$

⑨
$$
\begin{array}{r}
9\ 8\ 5\\
+\ 9\ 6\ 8\\
\hline
\end{array}
$$

⑩
```
    5 5 9
 +  7 6 5
```

⑪
```
    7 5 4
 +  2 8 9
```

⑫
```
    6 7 5
 +  6 7 5
```

⑬
```
    7 1 2
 +  6 9 9
```

⑭
```
    9 4 8
 +  4 8 8
```

⑮
```
    4 6 7
 +  8 5 3
```

⑯ 758+694=

백의 자리에서 받아올림한 수는
받아올림으로 작게 표시하지 않고
그대로 천의 자리에 써요.

⑰ 648+979=

⑱ 859+364=

⑲ 395+926=

⑳ 574+779=

1

덧셈과 뺄셈

31

받아올림이 3번 있는 (세 자리 수)＋(세 자리 수)

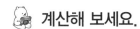 계산해 보세요.

1 247＋866＝ [   ]

2 937＋284＝ [   ]

3 869＋957＝ [   ]

4 804＋596＝ [   ]

5 558＋762＝ [   ]

6 608＋896＝ [   ]

빈칸에 두 수의 합을 써넣으세요.

7

796	527

8

587	643

9

632	679

10

544	768

11

966	286

12

786	556

1
덧셈과 뺄셈

플러스 계산 연습

생활 속 계산

🐻 밭에 남은 배추의 수와 뽑은 배추의 수입니다. 처음에 있던 배추의 수를 구하세요.

13

854+168= ▯ (포기)

14

636+495= ▯ (포기)

15

657+ ▯ = ▯ (포기)

16

▯ +487= ▯ (포기)

문장 읽고 계산식 세우기

17 628과 687의 합은?

식 628+ ▯ = ▯

18 569보다 472만큼 더 큰 수는?

식 ▯ +472= ▯

19 감자가 425개, 호박이 798개 있다면 감자와 호박은 모두 몇 개?

식 425+ ▯ = ▯ (개)

20 당근이 853개, 양파가 149개 있다면 당근과 양파는 모두 몇 개?

식 ▯ +149= ▯ (개)

제한 시간 3분

🐻 계산해 보세요.

①
```
    5 2 5
  + 2 3 4
```

②
```
    5 3 4
  + 1 2 9
```

③
```
    2 1 3
  + 3 7 9
```

④
```
    4 6 3
  + 8 0 5
```

⑤
```
    2 8 7
  + 1 3 6
```

⑥
```
    4 3 8
  + 6 0 5
```

⑦
```
    4 3 9
  + 7 4 6
```

⑧
```
    5 9 4
  + 5 3 7
```

⑨
```
    4 9 2
  + 8 5 8
```

⑩ 232+227

⑪ 493+354

⑫ 319+126

⑬ 564+802

⑭ 809+263

⑮ 952+749

1

덧셈과 뺄셈

34

🐻 빈칸에 알맞은 수를 써넣으세요.

⑯ 653 +211

⑰ 357 +281

⑱ 428 +256

⑲ 395 +427

⑳ 975 +915

㉑ 689 +172

㉒ 574 +568

㉓ 187 +567

㉔ 465 +852

㉕ 592 +448

제한 시간 안에 정확하게
모두 풀었다면 여러분은 진정한 계산왕!

받아내림이 없는 (세 자리 수) − (세 자리 수)

• 358 − 125의 계산

$$
\begin{array}{r}
3\ 5\ 8 \\
-\ 1\ 2\ 5 \\
\hline
2\ 3\ 3
\end{array}
$$

일, 십, 백의 자리 순서로 계산해요.

3−1=2   5−2=3   8−5=3

1 덧셈과 뺄셈

계산해 보세요.

❶
$$
\begin{array}{r}
4\ 1\ 3 \\
-\ 1\ 1\ 2 \\
\hline
\end{array}
$$

❷
$$
\begin{array}{r}
6\ 8\ 4 \\
-\ 3\ 1\ 4 \\
\hline
\end{array}
$$

❸
$$
\begin{array}{r}
4\ 3\ 7 \\
-\ 3\ 2\ 4 \\
\hline
\end{array}
$$

❹
$$
\begin{array}{r}
5\ 3\ 4 \\
-\ 2\ 0\ 3 \\
\hline
\end{array}
$$

❺
$$
\begin{array}{r}
3\ 5\ 9 \\
-\ 2\ 5\ 1 \\
\hline
\end{array}
$$

❻
$$
\begin{array}{r}
6\ 5\ 8 \\
-\ 3\ 5\ 8 \\
\hline
\end{array}
$$

❼
$$
\begin{array}{r}
9\ 7\ 2 \\
-\ 3\ 5\ 1 \\
\hline
\end{array}
$$

❽
$$
\begin{array}{r}
7\ 3\ 8 \\
-\ 1\ 1\ 8 \\
\hline
\end{array}
$$

❾
$$
\begin{array}{r}
5\ 2\ 9 \\
-\ 4\ 1\ 8 \\
\hline
\end{array}
$$

⑩
```
    5  4  9
 -  2  2  6
```

⑪
```
    6  9  5
 -  1  6  4
```

⑫
```
    8  3  8
 -  2  3  5
```

⑬
```
    9  9  4
 -  8  2  3
```

⑭
```
    5  5  5
 -  3  2  4
```

⑮
```
    4  5  3
 -  3  2  3
```

⑯ $957-405=$

가로셈을 세로셈으로
바꾸어 계산해요.

⑰ $753-421=$

⑱ $678-614=$

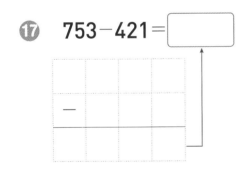

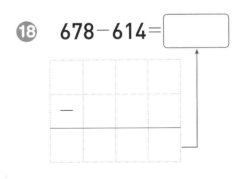

⑲ $751-231=$

⑳ $859-153=$

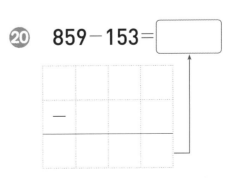

받아내림이 없는 (세 자리 수)−(세 자리 수)

 계산해 보세요.

1 445−214= ☐

2 785−114= ☐

3 265−131= ☐

4 655−321= ☐

5 875−513= ☐

6 569−205= ☐

 빈칸에 두 수의 차를 써넣으세요.

7

485	153

8

545	205

9

573	152

10

216	818

11

317	767

12

415	478

플러스 계산 연습

생활 속 계산

🐻 가게에 있는 과자의 수입니다. 과자 수의 차를 구하세요.

과자					
개수(개)	657	251	204	150	789

13

→ 657−204=☐(개)

14

→ 789−251=☐(개)

15

→ 789−☐=☐(개)

16

→ ☐−150=☐(개)

문장 읽고 계산식 세우기

17　748보다 321만큼 더 작은 수는?

식　748−☐=☐

18　497과 143의 차는?

식　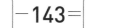☐−143=☐

19　사탕 576개 중에서 215개를 먹었다면 남은 사탕은 몇 개?

식　576−☐=☐(개)

20　곰 인형 795개 중에서 362개를 팔았다면 남은 곰 인형은 몇 개?

식　☐−362=☐(개)

받아내림이 1번 있는 (세 자리 수)−(세 자리 수)(1)

이렇게 해결하자

• 584−157의 계산 — 십의 자리에서 받아내림이 있는 (세 자리 수)−(세 자리 수)

```
        7   10
    5   8   4
−   1   5   7
─────────────
    4   2   7
```

5−1=4 ⟶   7−5=2 ⟶   10+4−7=7

일의 자리 수끼리 뺄 수 없으면
십의 자리에서 받아내림하여 계산해요.

계산해 보세요.

1
```
    4   7   5
−   2   1   6
─────────────
```

2
```
    7   5   0
−   1   2   4
─────────────
```

3
```
    6   8   5
−   4   3   9
─────────────
```

4
```
    5   7   2
−   1   0   5
─────────────
```

5
```
    6   5   1
−   2   4   6
─────────────
```

6
```
    7   7   2
−   3   1   8
─────────────
```

7
```
    8   4   2
−   1   3   5
─────────────
```

8
```
    6   5   4
−   2   1   6
─────────────
```

9
```
    6   7   3
−   2   1   7
─────────────
```

⑩
```
    8 4 3
  - 2 0 8
```

⑪
```
    9 2 2
  - 4 1 9
```

⑫
```
    7 4 3
  - 2 1 8
```

⑬
```
    8 7 2
  - 4 1 3
```

⑭
```
    5 7 0
  - 5 4 3
```

⑮
```
    5 6 1
  - 1 0 8
```

⑯ 695-236=

일의 자리 수끼리
뺄 수 없으면
십의 자리에서
받아내림하여 계산해요.

⑰ 530-312=

⑱ 642-206=

⑲ 863-106=

⑳ 541-236=

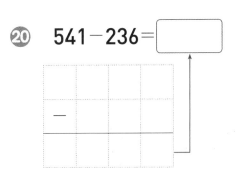

받아내림이 1번 있는 (세 자리 수) − (세 자리 수)(1)

 계산해 보세요.

1 435−318= ☐

2 523−316= ☐

3 856−327= ☐

4 731−129= ☐

5 680−147= ☐

6 272−226= ☐

빈칸에 알맞은 수를 써넣으세요.

7 822 ➡ −417 ➡ ☐

8 584 ➡ −457 ➡ ☐

9 750 ➡ −536 ➡ ☐

10 657 ➡ −309 ➡ ☐

11 870 ➡ −438 ➡ ☐

12 971 ➡ −335 ➡ ☐

플러스 계산 연습

생활 속 계산

🐻 색 테이프의 길이의 차를 구하세요.

13

475 cm

348 cm

$$475 - 348 = \boxed{} \text{(cm)}$$

14

520 cm

314 cm

$$520 - 314 = \boxed{} \text{(cm)}$$

15

278 cm

392 cm

$$392 - \boxed{} = \boxed{} \text{(cm)}$$

16

425 cm

580 cm

$$\boxed{} - 425 = \boxed{} \text{(cm)}$$

문장 읽고 계산식 세우기

17 732보다 117만큼 더 작은 수는?

식 $732 - \boxed{} = \boxed{}$

18 795와 418의 차는?

식 $\boxed{} - 418 = \boxed{}$

19 장미가 371송이, 백합이 105송이 있을 때 장미는 백합보다 몇 송이 더 많은지?

식 $371 - \boxed{} = \boxed{}$ (송이)

20 축구장에 온 남자는 482명, 여자는 256명일 때 남자는 여자보다 몇 명 더 많은지?

식 $\boxed{} - 256 = \boxed{}$ (명)

받아내림이 1번 있는 (세 자리 수)−(세 자리 수)(2)

• 714−362의 계산 — 백의 자리에서 받아내림이 있는 (세 자리 수)−(세 자리 수)

$$
\begin{array}{ccc}
 & 6 & 10 \\
 & \not7 & 1 & 4 \\
- & 3 & 6 & 2 \\
\hline
 & 3 & 5 & 2 \\
\end{array}
$$

6−3=3 ┘   ⑩+1−6=5   └ 4−2=2

십의 자리 수끼리 뺄 수 없으면 백의 자리에서 받아내림하여 계산해요.

계산해 보세요.

①
$$
\begin{array}{ccc}
 & 5 & 2 & 7 \\
- & 1 & 6 & 5 \\
\hline
\end{array}
$$

②
$$
\begin{array}{ccc}
 & 8 & 3 & 7 \\
- & 1 & 6 & 3 \\
\hline
\end{array}
$$

③
$$
\begin{array}{ccc}
 & 7 & 4 & 2 \\
- & 2 & 8 & 2 \\
\hline
\end{array}
$$

④
$$
\begin{array}{ccc}
 & 5 & 0 & 6 \\
- & 2 & 5 & 3 \\
\hline
\end{array}
$$

⑤
$$
\begin{array}{ccc}
 & 4 & 5 & 8 \\
- & 2 & 7 & 3 \\
\hline
\end{array}
$$

⑥
$$
\begin{array}{ccc}
 & 6 & 6 & 5 \\
- & 5 & 9 & 4 \\
\hline
\end{array}
$$

⑦
$$
\begin{array}{ccc}
 & 9 & 1 & 5 \\
- & 2 & 7 & 3 \\
\hline
\end{array}
$$

⑧
$$
\begin{array}{ccc}
 & 5 & 3 & 9 \\
- & 3 & 8 & 8 \\
\hline
\end{array}
$$

⑨
$$
\begin{array}{ccc}
 & 6 & 4 & 8 \\
- & 2 & 6 & 2 \\
\hline
\end{array}
$$

⑩
```
    8 7 3
  - 2 8 3
```

⑪
```
    9 0 7
  - 3 4 1
```

⑫
```
    4 5 4
  - 3 8 2
```

⑬
```
    9 2 4
  - 4 9 4
```

⑭
```
    7 0 5
  - 5 4 2
```

⑮
```
    4 7 6
  - 3 9 2
```

⑯ 835 － 374 =

십의 자리 수끼리의
뺄 수 없으면
백의 자리에서
받아내림하여 계산해요.

1

덧셈과 뺄셈

45

⑰ 544 － 183 =

⑱ 716 － 261 =

⑲ 916 － 244 =

⑳ 636 － 182 =

받아내림이 1번 있는 (세 자리 수) − (세 자리 수)(2)

 계산해 보세요.

1 738−274=☐

2 624−193=☐

3 843−691=☐

4 625−284=☐

5 937−373=☐

6 706−152=☐

빈칸에 알맞은 수를 써넣으세요.

덧셈과 뺄셈

7 963 − 492 =

8 474 − 280 =

9 239 − 159 =

10 574 − 381 =

11 365 − 273 =

12 725 − 261 =

플러스 계산 연습

생활 속 계산

🐻 두 사람이 줄넘기를 한 횟수입니다. 줄넘기를 한 횟수의 차를 구하세요.

13

439 | 275

$439 - 275 = \boxed{}$ (번)

14

813 | 523

$813 - 523 = \boxed{}$ (번)

15

493 | 628

$628 - \boxed{} = \boxed{}$ (번)

16

594 | 785

$\boxed{} - 594 = \boxed{}$ (번)

1

덧셈과 뺄셈

47

문장 읽고 계산식 세우기

17　837보다 145만큼 더 작은 수는?

식　$837 - \boxed{} = \boxed{}$

18　274와 546의 차는?

식　$\boxed{} - 274 = \boxed{}$

19　달리기를 어제는 615 m, 오늘은 165 m 달렸다면 어제는 오늘보다 몇 m 더 많이 달렸는지?

식　$615 - \boxed{} = \boxed{}$ (m)

20　동화책을 정후는 508쪽, 수아는 355쪽 읽었다면 정후는 수아보다 몇 쪽 더 많이 읽었는지?

식　$\boxed{} - 355 = \boxed{}$ (쪽)

받아내림이 2번 있는 (세 자리 수)−(세 자리 수)

• **741−283의 계산** — 십, 백의 자리에서 받아내림이 있는 (세 자리 수)−(세 자리 수)

	6	13	10
	7	4	1
−	2	8	3
	4	5	8

6−2=4 ⌐   13−8=5 ⌐   10+1−3=8

각 자리 수끼리 뺄 수 없으면
윗자리에서 받아내림하여 계산해요.

1
덧셈과 뺄셈

계산해 보세요.

❶
	7	2	4
−	1	8	7

❷
	6	5	0
−	1	7	4

❸
	5	0	2
−	2	3	8

❹
	4	1	3
−	2	8	5

❺
	2	5	1
−	1	6	6

❻
	9	2	4
−	5	5	6

❼
	8	1	4
−	3	9	7

❽
	5	3	0
−	2	8	9

❾
	4	0	0
−	1	6	7

기초 계산 연습

⑩
```
    7 0 4
  - 3 7 6
```

⑪
```
    6 7 0
  - 2 9 3
```

⑫
```
    3 3 5
  - 2 7 9
```

⑬
```
    5 1 2
  - 3 8 9
```

⑭
```
    6 2 3
  - 3 9 6
```

⑮
```
    8 4 6
  - 1 4 8
```

⑯ 705 − 167 = ☐

각 자리 수끼리
뺄 수 없으면 윗자리에서
받아내림하여 계산해요.

⑰ 861 − 793 = ☐

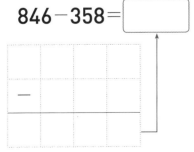

⑱ 536 − 289 = ☐

⑲ 846 − 358 = ☐

⑳ 740 − 476 = ☐

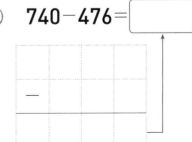

받아내림이 2번 있는 (세 자리 수)－(세 자리 수)

🐻 계산해 보세요.

1 661－287 = ☐

2 522－138 = ☐

3 356－157 = ☐

4 552－379 = ☐

5 600－247 = ☐

6 832－755 = ☐

🐻 수직선을 보고 ☐ 안에 알맞은 수를 써넣으세요.

7
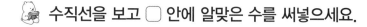
651
☐   374

8
813
☐   328

9
715
☐   439

10
474
☐   296

11
564
☐   197

12
724
☐   459

생활 속 계산

🐻 밭에 처음에 있던 무의 수와 뽑은 무의 수입니다. 밭에 남아 있는 무의 수를 구하세요.

13

536 − 298 = ☐ (개)

14

743 − 474 = ☐ (개)

15

340 − ☐ = ☐ (개)

16

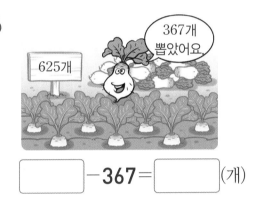

☐ − 367 = ☐ (개)

문장 읽고 계산식 세우기

17 750보다 375만큼 더 작은 수는?

식 750 − ☐ = ☐

18 328과 149의 차는?

식 ☐ − 149 = ☐

19 도넛 514개 중에서 176개를 팔았다면 남은 도넛은 몇 개?

식 514 − ☐ = ☐ (개)

20 감자 820개 중에서 542개를 팔았다면 남은 감자는 몇 개?

식 ☐ − 542 = ☐ (개)

🐻 계산해 보세요.

❶
```
    5 7 3
 -  2 5 2
```

❷
```
    6 9 4
 -  5 2 1
```

❸
```
    4 3 0
 -  1 2 8
```

❹
```
    7 6 8
 -  2 7 5
```

❺
```
    8 2 7
 -  1 5 6
```

❻
```
    6 3 5
 -  4 0 8
```

❼
```
    9 0 0
 -  7 4 4
```

❽
```
    6 4 4
 -  5 9 7
```

❾
```
    8 5 2
 -  4 9 8
```

❿ 539 − 227

⓫ 753 − 229

⓬ 319 − 126

⓭ 904 − 425

⓮ 800 − 263

⓯ 517 − 185

1

덧셈과 뺄셈

52

🐻 빈칸에 알맞은 수를 써넣으세요.

⑯ 653 −211

⑰ 357 −129

⑱ 718 −256

⑲ 395 −207

⑳ 974 −791

㉑ 600 −271

㉒ 503 −136

㉓ 563 −385

㉔ 571 −496

㉕ 920 −543

제한 시간 안에 정확하게
모두 풀었다면 여러분은 진정한 계산왕!

문장제 문제 도전하기

1 146+513=☐ → 머핀이 **146**개, 케이크가 **513**개 있습니다.
머핀과 케이크는 모두 몇 개일까요?

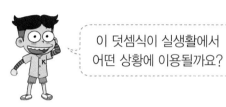

이 덧셈식이 실생활에서
어떤 상황에 이용될까요?

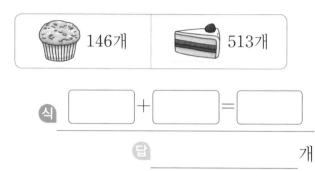

식 ☐ + ☐ = ☐

답 _____ 개

2 427+384=☐ → 크루아상이 **427**개, 베이글이 **384**개 있습니다.
크루아상과 베이글은 모두 몇 개일까요?

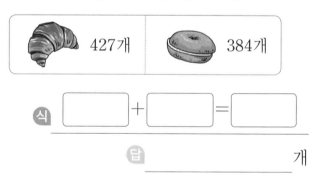

식 ☐ + ☐ = ☐

답 _____ 개

3 575+384=☐ → 크림빵이 **575**개, 베이글이 **384**개 있습니다.
크림빵과 베이글은 모두 몇 개일까요?

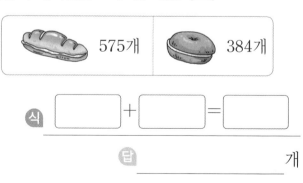

식 ☐ + ☐ = ☐

답 _____ 개

문장을 읽고 알맞은 덧셈식을 세워 답을 구해 보자!

4 일주일 동안 머핀() 250개와 바게트( ) 513개를 팔았습니다.
판매한 머핀과 바게트는 모두 몇 개일까요?

+ → ☐ + ☐ = ☐ (개)

5 일주일 동안 피자빵( ) 349개와 케이크( ) 237개를 팔았습니다.
판매한 피자빵과 케이크는 모두 몇 개일까요?

+ → ☐ + ☐ = ☐ (개)

6 일주일 동안 마늘빵() 258개와 식빵( ) 543개를 팔았습니다.
판매한 마늘빵과 식빵은 모두 몇 개일까요?

+ → ☐ + ☐ = ☐ (개)

문장제 문제 도전하기

7 359−216= ☐ → 빗자루가 **359**개, 쓰레받기가 **216**개 있습니다.
빗자루는 쓰레받기보다 몇 개 더 많을까요?

이 뺄셈식이 실생활에서 어떤 상황에 이용될까요?

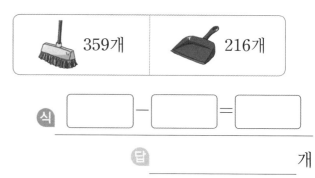
359개 | 216개

식 ☐ − ☐ = ☐

답 _____ 개

8 625−183= ☐ → 비누가 **625**개, 샴푸가 **183**개 있습니다.
비누는 샴푸보다 몇 개 더 많을까요?

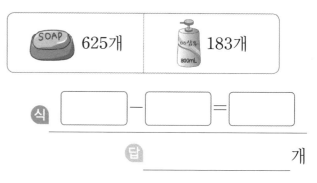
625개 | 183개

식 ☐ − ☐ = ☐

답 _____ 개

9 765−389= ☐ → 칫솔이 **765**개, 치약이 **389**개 있습니다.
칫솔은 치약보다 몇 개 더 많을까요?

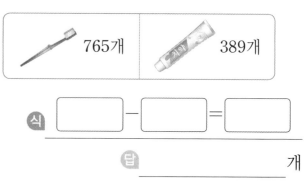
765개 | 389개

식 ☐ − ☐ = ☐

답 _____ 개

문장을 읽고 알맞은 뺄셈식을 세워 답을 구해 보자!

10 일주일 동안 참외() **795**개와 수박( ) **145**개를 팔았습니다.
참외는 수박보다 몇 개 더 많이 팔았을까요?

⬭ − 🍉 → ☐ − ☐ = ☐ (개)

11 일주일 동안 사과( ) **634**개와 감( ) **327**개를 팔았습니다.
사과는 감보다 몇 개 더 많이 팔았을까요?

🍎 − 🟠 → ☐ − ☐ = ☐ (개)

12 일주일 동안 파인애플( ) **285**개와 오렌지( ) **530**개를 팔았습니다.
오렌지는 파인애플보다 몇 개 더 많이 팔았을까요?

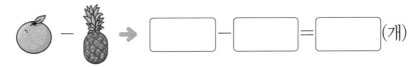

🍊 − 🍍 → ☐ − ☐ = ☐ (개)

1

덧셈과 뺄셈

57

창의·융합·코딩·도전하기

전시관에 있는 곤충은 몇 마리?

융합1 곤충 전시관에 있는 곤충들을 보고 있습니다. 주어진 곤충 수의 합을 구하세요.

 나비와 매미의 수의 합을 구해 봐.

$= 478 + \boxed{} = \boxed{}$ (마리)

매미와 풍뎅이의 수의 합을 구해 봐.

 $= \boxed{} + \boxed{} = \boxed{}$ (마리)

2 순서도에 따라 시작 에 **374**를 넣었을 때 출력되는 값을 구하세요.

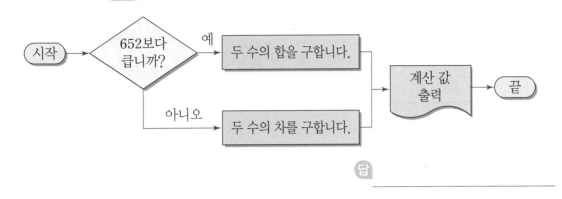

답 _____

창의 3 보기 와 같이 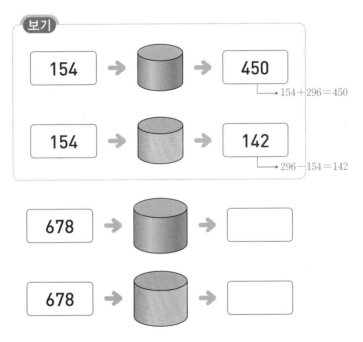 버튼을 누르면 바로 앞의 수와 **296**의 합이 표시되고, 버튼을 누르면 바로 앞의 수와 **296**의 차가 표시됩니다. 버튼을 눌렀을 때 ☐ 안에 알맞은 수를 써넣으세요.

보기

154 → ⬤ → 450
└→ 154+296=450

154 → ⬤ → 142
└→ 296−154=142

678 → ⬤ → ☐

678 → ⬤ → ☐

② 나눗셈과 곱셈

 실생활에서 알아보는 재미있는 수학 이야기

이번에 배울 내용을 알아볼까요?

똑같이 나누기

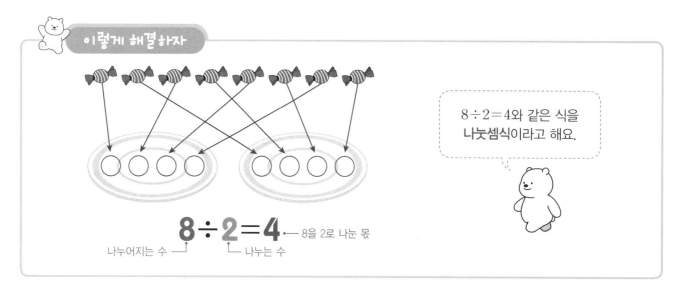

8÷2＝4와 같은 식을
나눗셈식이라고 해요.

$8 ÷ 2 = 4$ ← 8을 2로 나눈 몫

나누어지는 수 ┘ └ 나누는 수

과자를 ○로 나타내어 접시에 똑같이 나누어 담으면 한 접시에 몇 개씩 담을 수 있는지 알아보세요.

①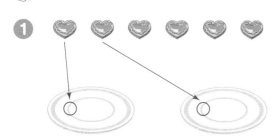

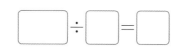

②

③

④

기초 계산 연습

맞은 개수 /10개

▶ 정답과 해설 8쪽

 **보기**와 같이 ☐ 안에 알맞은 수를 써넣으세요.

보기

$8 - 2 - 2 - \boxed{2} - \boxed{2} = 0$

➡ $8 \div 2 = \boxed{4}$

8에서 2씩 4번 빼면 0이 돼요.

5

$15 - 5 - \boxed{} - \boxed{} = 0$

➡ $\boxed{} \div \boxed{} = \boxed{}$

6

$18 - 9 - \boxed{} = 0$

➡ $\boxed{} \div \boxed{} = \boxed{}$

7

$18 - 3 - 3 - 3 - 3 - \boxed{} - \boxed{} = 0$

➡ $\boxed{} \div \boxed{} = \boxed{}$

8

$24 - 8 - \boxed{} - \boxed{} = 0$

➡ $\boxed{} \div \boxed{} = \boxed{}$

9

$20 - 5 - 5 - \boxed{} - \boxed{} = 0$

➡ $\boxed{} \div \boxed{} = \boxed{}$

10

$16 - 4 - 4 - \boxed{} - \boxed{} = 0$

➡ $\boxed{} \div \boxed{} = \boxed{}$

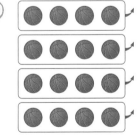

2

나눗셈과 곱셈

63

똑같이 나누기

🐻 수직선을 보고 ☐ 안에 알맞은 수를 써넣으세요.

1

$$0 \quad 3 \quad 6 \quad 9 \quad 12$$

$$12 \div 3 = \boxed{}$$

2

$$0 \quad 4 \quad 8 \quad 12 \quad 16 \quad 20$$

$$20 \div 4 = \boxed{}$$

3

$$0 \quad 9 \quad 18 \quad 27 \quad 36 \quad 45 \quad 54$$

$$54 \div \boxed{} = \boxed{}$$

4

$$0 \quad 7 \quad 14 \quad 21 \quad 28 \quad 35 \quad 42 \quad 49$$

$$49 \div \boxed{} = \boxed{}$$

🐻 뺄셈식을 보고 나눗셈식으로 나타내어 보세요.

5

$$21 - 7 - 7 - 7 = 0$$

$$21 \div \boxed{} = \boxed{}$$

6

$$30 - 6 - 6 - 6 - 6 - 6 = 0$$

$$30 \div \boxed{} = \boxed{}$$

7

$$24 - 6 - 6 - 6 - 6 = 0$$

$$24 \div \boxed{} = \boxed{}$$

8

$$35 - 5 - 5 - 5 - 5 - 5 - 5 - 5 = 0$$

$$35 \div \boxed{} = \boxed{}$$

9

$$48 - 8 - 8 - 8 - 8 - 8 - 8 = 0$$

$$\boxed{} \div \boxed{} = \boxed{}$$

10

$$45 - 9 - 9 - 9 - 9 - 9 = 0$$

$$\boxed{} \div \boxed{} = \boxed{}$$

생활 속 계산

🐻 그림과 같이 색 테이프를 똑같이 나누어 잘랐을 때 한 도막의 길이를 구하세요.

11
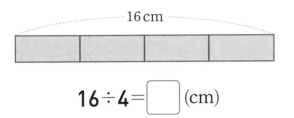
16 cm

$16 \div 4 = \boxed{}$ (cm)

12
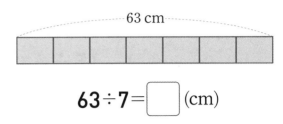
63 cm

$63 \div 7 = \boxed{}$ (cm)

13
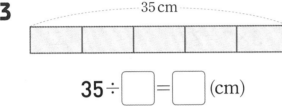
35 cm

$35 \div \boxed{} = \boxed{}$ (cm)

14
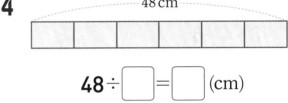
48 cm

$48 \div \boxed{} = \boxed{}$ (cm)

문장 읽고 계산식 세우기

15
감자 30개를 한 봉지에 5개씩 담는다면 몇 봉지가 되는지?

식 $30 \div 5 = \boxed{}$ (봉지)

16
양파 40개를 한 봉지에 8개씩 담는다면 몇 봉지가 되는지?

식 $40 \div \boxed{} = \boxed{}$ (봉지)

17
당근 56개를 7명이 똑같이 나누어 가지려면 한 명이 몇 개씩 가질 수 있는지?

식 $\boxed{} \div \boxed{} = \boxed{}$ (개)

18
가지 63개를 9명이 똑같이 나누어 가지려면 한 명이 몇 개씩 가질 수 있는지?

식 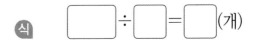 $\boxed{} \div \boxed{} = \boxed{}$ (개)

곱셈과 나눗셈의 관계

• 곱셈식을 나눗셈식으로 나타내기

$$5 \times 3 = 15 \begin{cases} 15 \div 5 = 3 \\ 15 \div 3 = 5 \end{cases}$$

• 나눗셈식을 곱셈식으로 나타내기

$$15 \div 5 = 3 \begin{cases} 5 \times 3 = 15 \\ 3 \times 5 = 15 \end{cases}$$

곱셈식을 보고 나눗셈식으로 나타내어 보세요.

❶
$$2 \times 4 = 8 \begin{cases} 8 \div 2 = \boxed{} \\ 8 \div 4 = \boxed{} \end{cases}$$

❷
$$3 \times 7 = 21 \begin{cases} 21 \div 3 = \boxed{} \\ 21 \div 7 = \boxed{} \end{cases}$$

❸
$$4 \times 5 = 20 \begin{cases} 20 \div 4 = \boxed{} \\ 20 \div 5 = \boxed{} \end{cases}$$

❹
$$5 \times 8 = 40 \begin{cases} 40 \div 5 = \boxed{} \\ 40 \div 8 = \boxed{} \end{cases}$$

❺
$$6 \times 8 = 48 \begin{cases} 48 \div 6 = \boxed{} \\ 48 \div \boxed{} = \boxed{} \end{cases}$$

❻
$$7 \times 4 = 28 \begin{cases} 28 \div 7 = \boxed{} \\ 28 \div \boxed{} = \boxed{} \end{cases}$$

❼
$$8 \times 4 = 32 \begin{cases} \boxed{} \div 8 = \boxed{} \\ \boxed{} \div 4 = \boxed{} \end{cases}$$

❽
$$9 \times 7 = 63 \begin{cases} \boxed{} \div 9 = \boxed{} \\ \boxed{} \div 7 = \boxed{} \end{cases}$$

🐻 나눗셈식을 보고 곱셈식으로 나타내어 보세요.

⑨ $14 \div 2 = 7$
$2 \times \boxed{} = 14$
$7 \times \boxed{} = 14$

⑩ $18 \div 3 = 6$
$3 \times \boxed{} = 18$
$6 \times \boxed{} = 18$

⑪ $24 \div 4 = 6$
$\boxed{} \times 6 = 24$
$\boxed{} \times 4 = 24$

⑫ $27 \div 9 = 3$
$\boxed{} \times 3 = 27$
$\boxed{} \times 9 = 27$

⑬ $30 \div 6 = 5$
$6 \times \boxed{} = 30$
$5 \times \boxed{} = \boxed{}$

⑭ $32 \div 8 = 4$
$8 \times \boxed{} = 32$
$4 \times \boxed{} = \boxed{}$

⑮ $42 \div 7 = 6$
$\boxed{} \times 6 = 42$
$\boxed{} \times 7 = \boxed{}$

⑯ $45 \div 5 = 9$
$\boxed{} \times 9 = 45$
$\boxed{} \times 5 = \boxed{}$

⑰ $48 \div 6 = 8$
$6 \times \boxed{} = \boxed{}$
$\boxed{} \times 6 = \boxed{}$

⑱ $54 \div 9 = 6$
$9 \times \boxed{} = \boxed{}$
$\boxed{} \times 9 = \boxed{}$

⑲ $72 \div 8 = 9$
$\boxed{} \times 9 = \boxed{}$
$9 \times \boxed{} = \boxed{}$

⑳ $56 \div 7 = 8$
$\boxed{} \times 8 = \boxed{}$
$8 \times \boxed{} = \boxed{}$

2

나눗셈과 곱셈

67

곱셈과 나눗셈의 관계

🐻 곱셈식을 나눗셈식으로 나타내어 보세요.

1
$2 \times 8 = 16$

2
$4 \times 7 = 28$

3
$6 \times 9 = 54$

4
$8 \times 9 = 72$

5
$5 \times 7 = 35$

6
$9 \times 4 = 36$

🐻 나눗셈식을 곱셈식으로 나타내어 보세요.

7
$21 \div 3 = 7$

8
$18 \div 2 = 9$

9
$40 \div 8 = 5$

10
$54 \div 9 = 6$

맞은 개수 /16개

▶ 정답과 해설 9쪽

생활 속 계산

🐻 그림을 보고 곱셈식과 나눗셈식으로 나타내어 보세요.

11

곱셈식 $7 \times 2 = \boxed{}$

나눗셈식 $\boxed{} \div 7 = \boxed{}$

$\boxed{} \div 2 = \boxed{}$

12

곱셈식 $6 \times 3 = \boxed{}$

나눗셈식 $\boxed{} \div 6 = \boxed{}$

$\boxed{} \div 3 = \boxed{}$

13

곱셈식 $5 \times \boxed{} = \boxed{}$

나눗셈식 $\boxed{} \div 5 = \boxed{}$

$\boxed{} \div \boxed{} = \boxed{}$

14

곱셈식 $4 \times \boxed{} = \boxed{}$

나눗셈식 $\boxed{} \div 4 = \boxed{}$

$\boxed{} \div \boxed{} = \boxed{}$

문장 읽고 계산식 세우기

🐻 다음을 읽고, 곱셈식과 나눗셈식으로 나타내어 보세요.

15

동화책 36권을 4권씩 9칸에 꽂았습니다.

곱셈식 $4 \times \boxed{} = \boxed{}$

나눗셈식 $36 \div 4 = \boxed{}$

$36 \div \boxed{} = \boxed{}$

16

금붕어 40마리를 8마리씩 어항 5개에 담았습니다.

곱셈식 $8 \times \boxed{} = \boxed{}$

나눗셈식 $40 \div 8 = \boxed{}$

$40 \div \boxed{} = \boxed{}$

나눗셈의 몫 구하기

이렇게 해결하자

• 18÷3의 몫 구하기

$$3 \times 6 = 18$$

$$18 \div 3 = \boxed{}, \quad \boxed{} = 6$$

3단 곱셈구구 ──┘   └── 몫

●÷▲의 몫을 구할 때에는 ▲단 곱셈구구에서 곱이 ●가 되는 수를 찾아요.

곱셈식을 보고 나눗셈의 몫을 구하세요.

❶ $4 \times 2 = 8 \longrightarrow 8 \div 4 = \boxed{}$

❷ $7 \times 6 = 42 \longrightarrow 42 \div 7 = \boxed{}$

❸ $2 \times 9 = 18 \longrightarrow 18 \div 2 = \boxed{}$

❹ $4 \times 6 = 24 \longrightarrow 24 \div 4 = \boxed{}$

❺ $3 \times 7 = 21 \longrightarrow 21 \div 3 = \boxed{}$

❻ $6 \times 5 = 30 \longrightarrow 30 \div 6 = \boxed{}$

❼ $7 \times 8 = 56 \longrightarrow 56 \div 7 = \boxed{}$

❽ $8 \times 4 = 32 \longrightarrow 32 \div 8 = \boxed{}$

❾ $9 \times 8 = 72 \longrightarrow 72 \div 9 = \boxed{}$

❿ $5 \times 9 = 45 \longrightarrow 45 \div 5 = \boxed{}$

2

나눗셈과 곱셈

▶ 정답과 해설 9쪽

⑪ $3 \times \square = 15 \longleftrightarrow 15 \div 3 = \square$

3단 곱셈구구

⑫ $6 \times \square = 54 \longleftrightarrow 54 \div 6 = \square$

6단 곱셈구구

⑬ $4 \times \square = 12 \longleftrightarrow 12 \div 4 = \square$

4단 곱셈구구

⑭ $5 \times \square = 35 \longleftrightarrow 35 \div 5 = \square$

5단 곱셈구구

⑮ $9 \times \square = 36 \longleftrightarrow 36 \div 9 = \square$

⑯ $2 \times \square = 16 \longleftrightarrow 16 \div 2 = \square$

⑰ $7 \times \square = 35 \longleftrightarrow 35 \div 7 = \square$

⑱ $4 \times \square = 28 \longleftrightarrow 28 \div 4 = \square$

⑲ $3 \times \square = 27 \longleftrightarrow 27 \div 3 = \square$

⑳ $7 \times \square = 49 \longleftrightarrow 49 \div 7 = \square$

㉑ $9 \times \square = 63 \longleftrightarrow 63 \div 9 = \square$

㉒ $8 \times \square = 64 \longleftrightarrow 64 \div 8 = \square$

㉓ $8 \times \square = 40 \longleftrightarrow 40 \div 8 = \square$

㉔ $5 \times \square = 25 \longleftrightarrow 25 \div 5 = \square$

나눗셈의 몫 구하기

🐻 나눗셈의 몫을 구하세요.

1 12÷3=☐

21÷3=☐

27÷3=☐

2 15÷5=☐

25÷5=☐

35÷5=☐

3 12÷6=☐

36÷6=☐

48÷6=☐

4 14÷7=☐

28÷7=☐

49÷7=☐

5 32÷8=☐

48÷8=☐

64÷8=☐

6 27÷9=☐

63÷9=☐

81÷9=☐

🐻 빈칸에 알맞은 수를 써넣으세요.

7
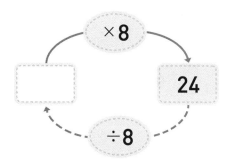

8
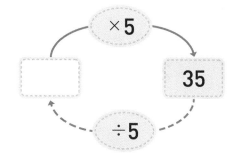

9
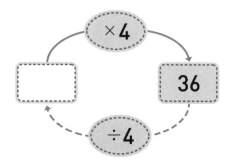

10
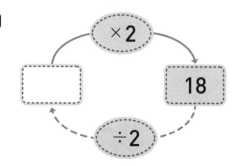

생활 속 계산

🐻 저울의 양쪽 무게가 같도록 분동을 올려놓았습니다. 오른쪽에 올려놓은 분동 1개의 무게를 구하세요.

└─ 분동: 무게를 달 때 무게의 표준으로서 다른 한쪽 저울판 위에 올려놓은 추

11

$$\boxed{} \times 3 = 27$$

➜ $27 \div 3 = \boxed{}$ (g)

12

$$\boxed{} \times 4 = 32$$

➜ $32 \div 4 = \boxed{}$ (g)

13

$$\boxed{} \times 6 = 42$$

➜ $42 \div \boxed{} = \boxed{}$ (g)

14

$$\boxed{} \times 5 = 45$$

➜ $45 \div \boxed{} = \boxed{}$ (g)

2

나눗셈과 곱셈

73

문장 읽고 계산식 세우기

15 딸기 40개를 한 접시에 5개씩 나누어 담는다면 필요한 접시는 몇 개?

식 $40 \div \boxed{} = \boxed{}$ (개)

16 참외 36개를 한 봉지에 6개씩 나누어 담는다면 필요한 봉지는 몇 개?

식 $36 \div \boxed{} = \boxed{}$ (개)

17 길이가 35 cm인 끈을 똑같이 7도막으로 자른다면 한 도막의 길이는?

식 $35 \div \boxed{} = \boxed{}$ (cm)

18 길이가 54 cm인 철사를 똑같이 9도막으로 자른다면 한 도막의 길이는?

식 $54 \div \boxed{} = \boxed{}$ (cm)

(몇십)×(몇), (몇십몇)×(몇)(1)

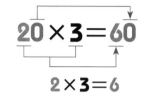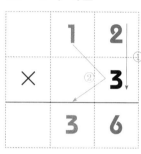

이렇게 해결하자

• 20×3의 계산

$$20 \times 3 = 60$$

$2 \times 3 = 6$

(몇)×(몇)의 뒤에 0을 써요.

• 12×3의 계산 — 올림이 없는 (몇십몇)×(몇)

```
    1  2
 ×     3
    3  6
```

2×3=6에서 6은 일의 자리에, 1×3=3에서 3은 십의 자리에 써요.

계산해 보세요.

❶
```
      3  0
 ×       3
```

❷
```
      1  0
 ×       7
```

❸
```
      4  0
 ×       6
```

❹
```
      2  0
 ×       9
```

❺
```
      6  0
 ×       8
```

❻
```
      7  0
 ×       5
```

❼
```
      1  2
 ×       4
```

❽
```
      3  2
 ×       3
```

❾
```
      4  1
 ×       2
```

2 나눗셈과 곱셈

기초 계산 연습

⑩
```
    2 3
×     2
```

⑪
```
    1 3
×     3
```

⑫
```
    2 1
×     4
```

⑬
```
    3 3
×     3
```

⑭
```
    1 1
×     5
```

⑮
```
    4 3
×     2
```

⑯ 80 × 5 =

가로셈을 세로셈으로
바꾸어 계산해요.

⑰ 90 × 7 =

⑱ 21 × 3 =

⑲ 44 × 2 =

⑳ 11 × 6 =

 계산해 보세요.

1 40×2= ☐

2 30×3= ☐

3 21×2= ☐

4 31×3= ☐

5 11×4= ☐

6 22×4= ☐

🐻 빈칸에 알맞은 수를 써넣으세요.

7 | 60 | ×9 | |

8 | 80 | ×7 | |

9 | 33 | ×2 | |

10 | 11 | ×8 | |

11 | 34 | ×2 | |

12 | 14 | ×2 | |

플러스 계산 연습

생활 속 계산

🐻 여러 가지 물건을 세는 단위를 보고 각 물건의 수를 구하세요.

13

(오징어 한 축)＝20마리

20 × 2 =☐(마리)

14

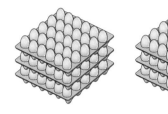

(달걀 한 판)＝30개

30 ×☐=☐(개)

15

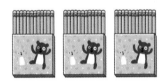

(연필 1타)＝12자루

☐×☐=☐(자루)

16

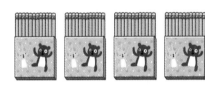

(연필 1타)＝12자루

☐×☐=☐(자루)

문장 읽고 계산식 세우기

17 사과가 한 상자에 10개씩 7상자 있다면?

식 10 ×☐=☐(개)

18 바둑돌이 한 통에 20개씩 4통 있다면?

식 ☐×☐=☐(개)

19 동화책을 하루에 24쪽씩 이틀 동안 읽으면?

식 24 ×☐=☐(쪽)

20 11살인 오빠 나이의 7배인 할머니의 나이는?

식 ☐×☐=☐(살)

(몇십몇)×(몇)(2)

- 52 × 3의 계산 — 십의 자리에서 올림이 있는 (몇십몇)×(몇)

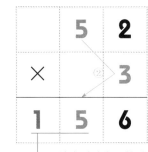

일의 자리와 곱한 수는 일의 자리에 씁니다.

십의 자리와 곱한 수는 십의 자리에 쓰는데 올림이 있으면 백의 자리에 씁니다.

십의 자리에서 올림한 수는 백의 자리에 써요.

2 나눗셈과 곱셈

📖 계산해 보세요.

❶

```
    3 1
  ×   5
```

❷

```
    4 3
  ×   3
```

❸

```
    7 2
  ×   2
```

❹

```
    8 1
  ×   6
```

❺

```
    6 1
  ×   7
```

❻

```
    5 4
  ×   2
```

❼

```
    6 3
  ×   3
```

❽

```
    9 3
  ×   2
```

❾

```
    8 2
  ×   4
```

⑩
```
    2 1
×     8
─────────
```

⑪
```
    5 1
×     6
─────────
```

⑫
```
    3 2
×     4
─────────
```

⑬
```
    4 1
×     9
─────────
```

⑭
```
    7 3
×     2
─────────
```

⑮
```
    8 2
×     3
─────────
```

⑯ 91 × 6 = [   ]

십의 자리에서 올림한 수는
백의 자리에 써요.

⑰ 61 × 5 = [   ]

⑱ 72 × 4 = [   ]

⑲ 92 × 3 = [   ]

⑳ 71 × 8 = [   ]

2

나눗셈과 곱셈

79

 계산해 보세요.

1 61 × 8 = ☐

2 51 × 7 = ☐

3 82 × 2 = ☐

4 73 × 3 = ☐

5 71 × 6 = ☐

6 92 × 4 = ☐

빈칸에 알맞은 수를 써넣으세요.

7 42 → ×4 → ☐

8 31 → ×7 → ☐

9 74 → ×2 → ☐

10 93 → ×3 → ☐

11 62 → ×4 → ☐

12 53 → ×3 → ☐

2

나눗셈과 곱셈

생활 속 계산

🐻 전체 과일의 수를 구하세요.

13

한 상자에 64개씩

$64 \times 2 = $ ▢ (개)

14

한 상자에 42개씩

$42 \times$ ▢ $= $ ▢ (개)

15
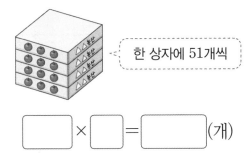
한 상자에 51개씩

▢ $\times$ ▢ $= $ ▢ (개)

16
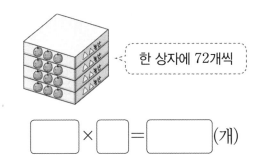
한 상자에 72개씩

▢ $\times$ ▢ $= $ ▢ (개)

문장 읽고 계산식 세우기

17 대추가 한 상자에 82개씩 3상자 있다면?

식 $82 \times 3 = $ ▢ (개)
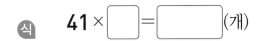

18 딸기가 한 바구니에 41개씩 7바구니 있다면?

식 $41 \times$ ▢ $= $ ▢ (개)

19 책이 한 칸에 32권씩 4칸에 꽂혀 있다면?

식 ▢ $\times$ ▢ $= $ ▢ (권)

20 토마토가 한 상자에 51개씩 9상자 있다면?

식 ▢ $\times$ ▢ $= $ ▢ (개)
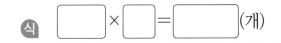

(몇십몇)×(몇)(3)

- 18×3의 계산 — 일의 자리에서 올림이 있는 (몇십몇)×(몇)

$$
\begin{array}{ccc}
 & & 2 \\
 & 1 & 8 \\
\times & & 3 \\
\hline
 & & 4
\end{array}
\;\rightarrow\;
\begin{array}{ccc}
 & 2 & \\
 & 1 & 8 \\
\times & & 3 \\
\hline
 & 5 & 4
\end{array}
$$

일의 자리 계산에서 올림한 수를 십의 자리 계산에 더해요.

8×3=24에서 일의 자리 숫자는 4,
십의 자리 수 2를 올림합니다.

1×3=3과 올림한 수
2를 더합니다.

□ 안에 알맞은 수를 써넣으세요.

1
$$
\begin{array}{ccc}
 & \square & \\
 & 1 & 4 \\
\times & & 5 \\
\hline
 & \square & \square
\end{array}
$$

2
$$
\begin{array}{ccc}
 & \square & \\
 & 1 & 9 \\
\times & & 2 \\
\hline
 & \square & \square
\end{array}
$$

3
$$
\begin{array}{ccc}
 & \square & \\
 & 2 & 5 \\
\times & & 3 \\
\hline
 & \square & \square
\end{array}
$$

4
$$
\begin{array}{ccc}
 & \square & \\
 & 2 & 3 \\
\times & & 4 \\
\hline
 & \square & \square
\end{array}
$$

5
$$
\begin{array}{ccc}
 & \square & \\
 & 1 & 2 \\
\times & & 8 \\
\hline
 & \square & \square
\end{array}
$$

6
$$
\begin{array}{ccc}
 & \square & \\
 & 1 & 6 \\
\times & & 6 \\
\hline
 & \square & \square
\end{array}
$$

7
$$
\begin{array}{ccc}
 & \square & \\
 & 2 & 9 \\
\times & & 3 \\
\hline
 & \square & \square
\end{array}
$$

8
$$
\begin{array}{ccc}
 & \square & \\
 & 1 & 4 \\
\times & & 7 \\
\hline
 & \square & \square
\end{array}
$$

9
$$
\begin{array}{ccc}
 & \square & \\
 & 4 & 7 \\
\times & & 2 \\
\hline
 & \square & \square
\end{array}
$$

기초 계산 연습

🐻 계산해 보세요.

⑩
```
    1 4
 ×    6
```

⑪
```
    2 6
 ×    3
```

⑫
```
    3 5
 ×    2
```

⑬
```
    1 8
 ×    5
```

⑭
```
    1 5
 ×    4
```

⑮
```
    1 6
 ×    5
```

⑯ 39 × 2 =

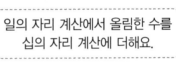

일의 자리 계산에서 올림한 수를
십의 자리 계산에 더해요.

⑰ 17 × 3 =

⑱ 24 × 3 =

⑲ 12 × 7 =

⑳ 13 × 6 =

(몇십몇)×(몇)(3)

 계산해 보세요.

1 15×5=[ ]

2 27×3=[ ]

3 26×2=[ ]

4 17×5=[ ]

5 49×2=[ ]

6 18×4=[ ]

 빈칸에 알맞은 수를 써넣으세요.

7 | 24 | × | 4 | = | |

8 | 15 | × | 3 | = | |

9 | 13 | × | 7 | = | |

10 | 45 | × | 2 | = | |

11 | 38 | × | 2 | = | |

12 | 16 | × | 4 | = | |

생활 속 계산

문구점에 있는 학용품의 수를 구하세요.

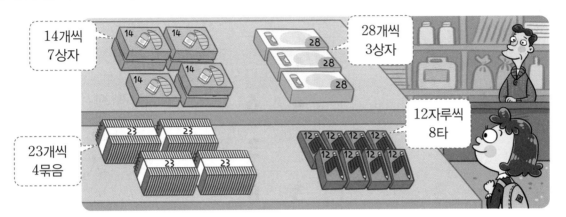

14개씩
7상자

28개씩
3상자

12자루씩
8타

23개씩
4묶음

13

$14 \times \boxed{} = \boxed{}$ (개)

14

$28 \times \boxed{} = \boxed{}$ (개)

15

$\boxed{} \times \boxed{} = \boxed{}$ (개)

16

$\boxed{} \times \boxed{} = \boxed{}$ (자루)

문장 읽고 계산식 세우기

17 토마토가 한 상자에 25개씩 3상자
있다면?

식 $25 \times \boxed{} = \boxed{}$ (개)

18 양파가 한 자루에 13개씩 5자루 있
다면?

식 $13 \times \boxed{} = \boxed{}$ (개)

19 장미가 한 다발에 15송이씩 6다발
있다면?

식 $\boxed{} \times \boxed{} = \boxed{}$ (송이)

20 튤립이 한 다발에 19송이씩 4다발
있다면?

식 $\boxed{} \times \boxed{} = \boxed{}$ (송이)

(몇십몇)×(몇)(4)

• **46 × 3의 계산** — 올림이 2번 있는 (몇십몇)×(몇)

각 자리 계산에서 올림한 수는 윗자리 계산에 더해요.

6×3=18에서 일의 자리 숫자 8, 십의 자리 수 1을 올림합니다.

4×3=12에 올림한 수 1을 더하여 십의 자리와 백의 자리를 구합니다.

□ 안에 알맞은 수를 써넣으세요.

1
```
    3  6
×      5
```

2
```
    4  5
×      7
```

3
```
    3  2
×      6
```

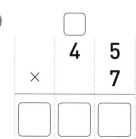

4
```
    9  5
×      4
```

5
```
    6  3
×      9
```

6
```
    2  8
×      6
```

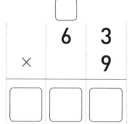 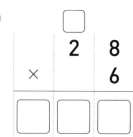

7
```
    4  6
×      5
```

8
```
    8  4
×      3
```

9
```
    7  5
×      8
```

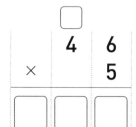 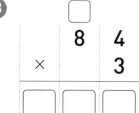

🐻 계산해 보세요.

⑩
	3	3
×		7

⑪
	5	9
×		5

⑫
	4	5
×		3

⑬
	6	2
×		9

⑭
	9	4
×		5

⑮
	8	9
×		6

⑯ $77 \times 4 =$

각 자리 계산에서 올림한 수는
윗자리 계산에 더해요.

2

나눗셈과 곱셈

87

⑰ $89 \times 5 =$

⑱ $73 \times 7 =$

⑲ $65 \times 4 =$

⑳ $28 \times 8 =$

(몇십몇)×(몇)(4)

🐻 계산해 보세요.

1 47×7= ☐

2 45×9= ☐

3 79×6= ☐

4 35×5= ☐

5 52×7= ☐

6 38×4= ☐

🐻 빈칸에 두 수의 곱을 써넣으세요.

7
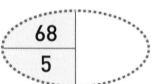
75
4

8
49
8

9
68
5

10
53
9

11
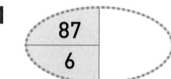
87
6

12
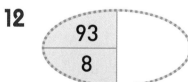
93
8

생활 속 계산

 주어진 음식을 섭취했을 때 열량은 몇 킬로칼로리인지 구하세요.

음식의 에너지의 양인 열량의 단위를 'kcal'라 쓰고 '킬로칼로리'라고 읽어요.

음식	귤	바나나	사과	키위
열량(kcal)	38	93	49	54

13

$38 \times \boxed{} = \boxed{}$ (kcal)

14

$93 \times \boxed{} = \boxed{}$ (kcal)

15

$\boxed{} \times \boxed{} = \boxed{}$ (kcal)

16

$\boxed{} \times \boxed{} = \boxed{}$ (kcal)

2

나눗셈과 곱셈

89

문장 읽고 계산식 세우기

17 복숭아가 한 상자에 17개씩 8상자 있다면?

식 $17 \times \boxed{} = \boxed{}$ (개)

18 골프공이 한 상자에 48개씩 4상자 있다면?

식 $48 \times \boxed{} = \boxed{}$ (개)

19 탁구공이 한 상자에 55개씩 6상자 있다면?

식 $\boxed{} \times \boxed{} = \boxed{}$ (개)

20 빵이 한 상자에 28개씩 5상자 있다면?

식 $\boxed{} \times \boxed{} = \boxed{}$ (개)

SPEED 연산력 TEST

🐻 곱셈식을 나눗셈식으로, 나눗셈식을 곱셈식으로 나타내어 보세요.

❶ $2 \times 7 = 14$

❷ $4 \times 3 = 12$

❸ $5 \times 8 = 40$

❹ $24 \div 3 = 8$

❺ $28 \div 7 = 4$

❻ $45 \div 9 = 5$

🐻 나눗셈의 몫을 구하세요.

❼ $8 \div 2 = \boxed{}$

$12 \div 2 = \boxed{}$

❽ $20 \div 4 = \boxed{}$

$32 \div 4 = \boxed{}$

❾ $25 \div 5 = \boxed{}$

$35 \div 5 = \boxed{}$

❿ $42 \div 7 = \boxed{}$

$63 \div 7 = \boxed{}$

⓫ $56 \div 8 = \boxed{}$

$64 \div 8 = \boxed{}$

⓬ $36 \div 9 = \boxed{}$

$81 \div 9 = \boxed{}$

🐻 계산해 보세요.

⑬
```
      4 0
  ×     7
```

⑭
```
      2 1
  ×     4
```

⑮
```
      5 3
  ×     3
```

⑯
```
      8 1
  ×     7
```

⑰
```
      1 5
  ×     6
```

⑱
```
      2 4
  ×     3
```

⑲
```
      3 7
  ×     5
```

⑳
```
      5 3
  ×     8
```

㉑
```
      6 2
  ×     9
```

2

나
눗
셈
과
곱
셈

91

🐻 빈칸에 알맞은 수를 써넣으세요.

㉒ 16 → ×4 →

㉓ 81 → ×9 →

㉔ 58 → ×5 →

㉕ 73 → ×6 →

제한 시간 안에 정확하게
모두 풀었다면 여러분은 진정한 계산왕!

문장제 문제 도전하기

1 24÷3=[   ] → 지우개 **24**개를 상자 **3**개에 똑같이 나누어 담았습니다.
한 상자에 지우개를 몇 개씩 담았을까요?

이 나눗셈식이 실생활에서
어떤 상황에 이용될까요?

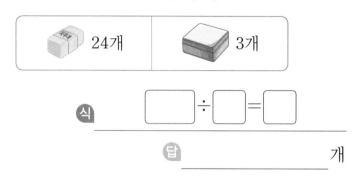

식 [   ]÷[   ]=[   ]

답 _____ 개

2 35÷7=[   ] → 가위 **35**개를 상자 **7**개에 똑같이 나누어 담았습니다.
한 상자에 가위를 몇 개씩 담았을까요?

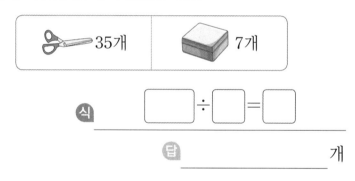

식 [   ]÷[   ]=[   ]

답 _____ 개

3 54÷9=[   ] → 수첩 **54**개를 상자 **9**개에 똑같이 나누어 담았습니다.
한 상자에 수첩을 몇 개씩 담았을까요?

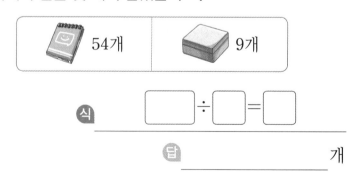

식 [   ]÷[   ]=[   ]

답 _____ 개

문장을 읽고 알맞은 나눗셈식을 세워 답을 구해 보자!

4 공책( ) 30권을 가방( ) 5개에 똑같이 나누어 넣으려고 합니다.
가방 한 개에 공책을 몇 권씩 넣을 수 있을까요?

$$ \div \quad \rightarrow \quad \boxed{} \div \boxed{} = \boxed{} (권)$$

5 색연필( ) 48자루를 필통( ) 6개에 똑같이 나누어 넣으려고 합니다.
필통 한 개에 색연필을 몇 자루씩 넣을 수 있을까요?

$$ \div \quad \rightarrow \quad \boxed{} \div \boxed{} = \boxed{} (자루)$$

6 동화책( ) 27권을 가방( ) 9개에 똑같이 나누어 넣으려고 합니다.
가방 한 개에 동화책을 몇 권씩 넣을 수 있을까요?

$$ \div \quad \rightarrow \quad \boxed{} \div \boxed{} = \boxed{} (권)$$

7   12 × 4 = ☐   →   복숭아가 한 상자에 **12**개씩 **4**상자 있습니다.
복숭아는 몇 개 있을까요?

이 곱셈식이 실생활에서
어떤 상황에 이용될까요?

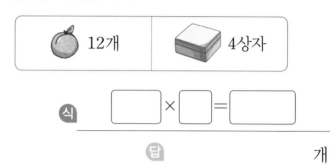

식   ☐ × ☐ = ☐

답 _____ 개

8   82 × 3 = ☐   →   토마토가 한 상자에 **82**개씩 **3**상자 있습니다.
토마토는 몇 개 있을까요?

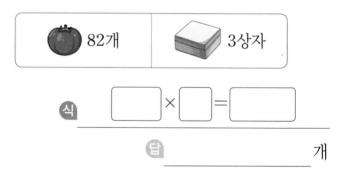

식   ☐ × ☐ = ☐

답 _____ 개

9   45 × 6 = ☐   →   레몬이 한 상자에 **45**개씩 **6**상자 있습니다.
레몬은 몇 개 있을까요?

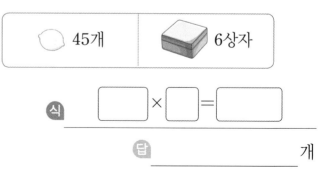

식   ☐ × ☐ = ☐

답 _____ 개

문장을 읽고 알맞은 곱셈식을 세워 답을 구해 보자!

10 귤(🍊)이 한 바구니(🧺)에 **51**개씩 **6**바구니 있습니다.

귤은 몇 개 있을까요?

🍊 × 🧺 → ☐ × ☐ = ☐ (개)

11 참외(🍈)가 한 바구니(🧺)에 **14**개씩 **4**바구니 있습니다.

참외는 몇 개 있을까요?

🍈 × 🧺 → ☐ × ☐ = ☐ (개)

12 자두(🍑)가 한 바구니(🧺)에 **68**개씩 **7**바구니 있습니다.

자두는 몇 개 있을까요?

🍑 × 🧺 → ☐ × ☐ = ☐ (개)

창의·융합·코딩·도전하기

환율이 뭘까?

융합 1 환율이란 외국 돈을 사는 데 우리나라 돈으로 얼마를 줘야 하는지 알아보는 것입니다.

어느 날 멕시코에서 4페소는 우리나라 돈으로 얼마일까요?

답_____원

코딩 **2** 순서도의 시작 에 **36**을 넣었을 때 출력되는 값을 구하세요.

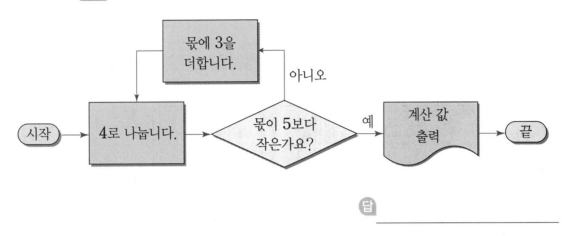

몫에 3을 더합니다.

시작 → 4로 나눕니다. → 몫이 5보다 작은가요? — 아니오 / 예 → 계산 값 출력 → 끝

답 _____

창의 **3** 다음과 같은 규칙으로 수가 나오는 마술 상자가 있습니다.
이 마술 상자에 **65**를 넣었을 때 나오는 수를 구하세요.

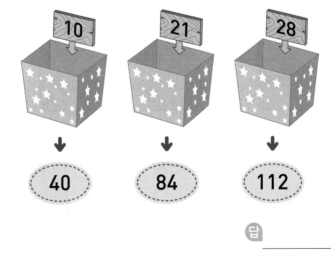

10 → 40
21 → 84
28 → 112

답 _____

길이와 시간

실생활에서 알아보는 재미있는 수학 이야기

트롯 킴,
도착했구나.

편의점
앞이에요?

네

CH 편의점이
보여요. 선생님!

그럼, 제과점까지 1 km,
제과점에서
오른쪽으로 200 m 가면
정육점이에요.

정육점에서
다시 오른쪽으로
1 km를 가면
교회가 보일
거예요.

헥헥……
가깝다고 생각했는데
머네…….

선생님!
교회 앞으로
오라고
한 거네요?

응

편의점에서 교회까지
200 m인데요…….

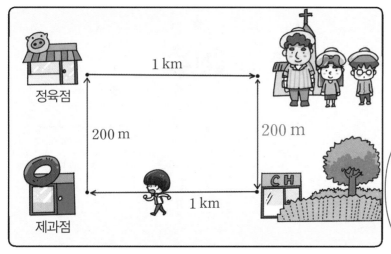

정육점
제과점

1 km

200 m

200 m

1 km

늦어서
죄송해요.

슛!

트롯 킴이 걸은
거리는 1 km가
2번이니 2 km보다
200 m 더 먼
2 km 200 m네요.

이번에 배울 내용을 알아볼까요?

- 1 mm는 1밀리미터라고 읽습니다.

$$1\ cm = 10\ mm$$

- 2 cm 7 mm를 몇 mm로 나타내기

$$2\ cm\ 7\ mm$$
$$= 20\ mm + 7\ mm$$
$$= 27\ mm$$

- 1 km는 1킬로미터라고 읽습니다.

$$1\ km = 1000\ m$$

- 1 km 600 m를 몇 m로 나타내기

$$1\ km\ 600\ m$$
$$= 1000\ m + 600\ m$$
$$= 1600\ m$$

3
길이와 시간

🐻 ☐ 안에 알맞은 수를 써넣으세요.

❶ 1 cm 4 mm = ☐ mm + 4 mm

= ☐ mm

❷ 4 cm 5 mm = ☐ mm + 5 mm

= ☐ mm

❸ 23 mm = ☐ mm + 3 mm

= ☐ cm ☐ mm

❹ 37 mm = ☐ mm + 7 mm

= ☐ cm ☐ mm

❺ 2 km 800 m

= ☐ m + 800 m

= ☐ m

❻ 4 km 300 m

= ☐ m + 300 m

= ☐ m

❼ 3900 m = ☐ m + 900 m

= ☐ km ☐ m

❽ 6100 m = ☐ m + 100 m

= ☐ km ☐ m

⑨ 3 cm = ☐ mm

⑩ 5 cm 4 mm = ☐ mm

⑪ 7 cm 9 mm = ☐ mm

⑫ 8 cm 2 mm = ☐ mm

⑬ 50 mm = ☐ cm

⑭ 43 mm = ☐ cm ☐ mm

⑮ 64 mm = ☐ cm ☐ mm

⑯ 91 mm = ☐ cm ☐ mm

⑰ 4 km = ☐ m

⑱ 1 km 500 m = ☐ m

⑲ 3 km 900 m = ☐ m

⑳ 6 km 30 m = ☐ m

㉑ 7000 m = ☐ km

㉒ 2500 m = ☐ km ☐ m

㉓ 5300 m = ☐ km ☐ m

㉔ 8070 m = ☐ km ☐ m

3

길이와 시간

길이의 단위

 같은 길이끼리 선으로 이어 보세요.

1

3 cm 8 mm ·

8 cm 3 mm ·

· 30 mm

· 38 mm

· 83 mm

2

25 mm ·

52 mm ·

· 52 cm

· 5 cm 2 mm

· 2 cm 5 mm

3

길이와 시간

3

2 km 70 m ·

2 km 700 m ·

· 2007 m

· 2070 m

· 2700 m

4

8004 m ·

8040 m ·

· 8 km 400 m

· 8 km 40 m

· 8 km 4 m

102

 길이를 비교하여 ◯ 안에 >, =, <를 알맞게 써넣으세요.

5 2 cm 7 mm ◯ 25 mm

6 4 cm 9 mm ◯ 50 mm

7 6 cm 8 mm ◯ 86 mm

8 3 km 200 m ◯ 3000 m

9 5 km 100 m ◯ 5090 m

10 7 km 80 m ◯ 7080 m

생활 속 문제

🐻 지도를 보고 각 장소 사이의 거리를 몇 km 몇 m로 나타내어 보세요.

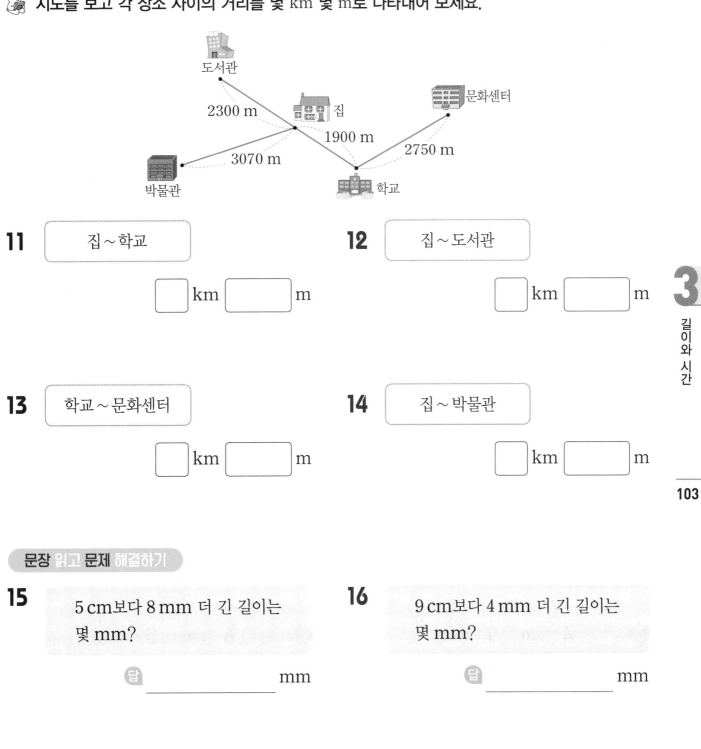

11 집 ~ 학교

☐ km ☐ m

12 집 ~ 도서관

☐ km ☐ m

13 학교 ~ 문화센터

☐ km ☐ m

14 집 ~ 박물관

☐ km ☐ m

문장 읽고 문제 해결하기

15 5 cm보다 8 mm 더 긴 길이는 몇 mm?

답 _____ mm

16 9 cm보다 4 mm 더 긴 길이는 몇 mm?

답 _____ mm

17 3 km보다 650 m 더 먼 거리는 몇 m?

답 _____ m

18 7 km보다 30 m 더 먼 거리는 몇 m?

답 _____ m

cm와 mm의 합

$$1 \longrightarrow$$

$$\begin{array}{r} 2 \text{ cm } 7 \text{ mm} \\ + \ 1 \text{ cm } 5 \text{ mm} \\ \hline 4 \text{ cm } \underline{2} \text{ mm} \end{array}$$

└─ 7 mm＋5 mm＝12 mm

> 같은 단위끼리 더하고
> mm끼리의 합이 10이거나 10보다 크면
> 10 mm를 1 cm로 받아올림하여
> 계산해요.

계산해 보세요.

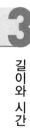
①
$$\begin{array}{r} 5 \text{ cm } 2 \text{ mm} \\ + \ 4 \text{ cm } 1 \text{ mm} \\ \hline \square \text{ cm } \square \text{ mm} \end{array}$$

②
$$\begin{array}{r} 1 \text{ cm } 1 \text{ mm} \\ + \ 3 \text{ cm } 5 \text{ mm} \\ \hline \square \text{ cm } \square \text{ mm} \end{array}$$

③
$$\begin{array}{r} 7 \text{ cm } 3 \text{ mm} \\ + \ 1 \text{ cm } 4 \text{ mm} \\ \hline \square \text{ cm } \square \text{ mm} \end{array}$$

④
$$\begin{array}{r} 5 \text{ cm } 6 \text{ mm} \\ + \ 2 \text{ cm } 3 \text{ mm} \\ \hline \square \text{ cm } \square \text{ mm} \end{array}$$

⑤
$$\begin{array}{r} 4 \text{ cm } 1 \text{ mm} \\ + \ 5 \text{ cm } 4 \text{ mm} \\ \hline \square \text{ cm } \square \text{ mm} \end{array}$$

⑥
$$\begin{array}{r} 6 \text{ cm } 5 \text{ mm} \\ + \ 3 \text{ cm } 4 \text{ mm} \\ \hline \square \text{ cm } \square \text{ mm} \end{array}$$

⑦
$$\begin{array}{r} 3 \text{ cm } 6 \text{ mm} \\ + \ 1 \text{ cm } 8 \text{ mm} \\ \hline \square \text{ cm } \square \text{ mm} \end{array}$$

⑧
$$\begin{array}{r} 3 \text{ cm } 7 \text{ mm} \\ + \ 4 \text{ cm } 9 \text{ mm} \\ \hline \square \text{ cm } \square \text{ mm} \end{array}$$

⑨
```
    2 cm   7 mm
  + 4 cm   5 mm
  ─────────────
   [  ] cm [  ] mm
```

⑩
```
    1 cm   4 mm
  + 3 cm   9 mm
  ─────────────
   [  ] cm [  ] mm
```

⑪
```
    3 cm   8 mm
  + 2 cm   3 mm
  ─────────────
   [  ] cm [  ] mm
```

⑫
```
    2 cm   6 mm
  + 4 cm   6 mm
  ─────────────
   [  ] cm [  ] mm
```

⑬
```
    6 cm   2 mm
  + 2 cm   9 mm
  ─────────────
   [  ] cm [  ] mm
```

⑭
```
    4 cm   7 mm
  + 4 cm   7 mm
  ─────────────
   [  ] cm [  ] mm
```

⑮ 5 cm 2 mm + 3 cm 6 mm
= [ ] cm [ ] mm

⑯ 6 cm 2 mm + 2 cm 5 mm
= [ ] cm [ ] mm

⑰ 2 cm 8 mm + 2 cm 1 mm
= [ ] cm [ ] mm

⑱ 3 cm 6 mm + 3 cm 6 mm
= [ ] cm [ ] mm

⑲ 3 cm 9 mm + 3 cm 5 mm
= [ ] cm [ ] mm

⑳ 5 cm 3 mm + 2 cm 8 mm
= [ ] cm [ ] mm

3

길이와 시간

105

cm와 mm의 합

 ◻ 안에 알맞은 수를 써넣으세요.

1 2 cm 3 mm

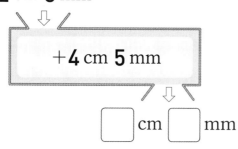

+4 cm 5 mm

◻ cm ◻ mm

2 5 cm 2 mm

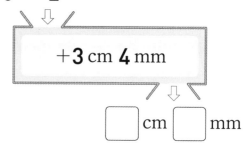

+3 cm 4 mm

◻ cm ◻ mm

3 4 cm 7 mm

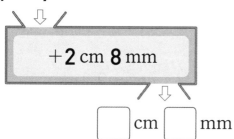

+2 cm 8 mm

◻ cm ◻ mm

4 1 cm 6 mm

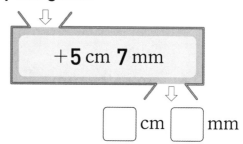

+5 cm 7 mm

◻ cm ◻ mm

 길이의 합을 구하세요.

5 3 cm 2 mm   2 cm 4 mm

◻ cm ◻ mm

6 1 cm 5 mm   6 cm 1 mm

◻ cm ◻ mm

7 2 cm 6 mm   5 cm 3 mm

◻ cm ◻ mm

8 3 cm 8 mm   2 cm 7 mm

◻ cm ◻ mm

9 1 cm 5 mm   5 cm 6 mm

◻ cm ◻ mm

10 4 cm 3 mm   4 cm 9 mm

◻ cm ◻ mm

길이와 시간

3

플러스 계산 연습

생활 속 계산

전기 제품을 멀티탭에 연결하여 사용하려고 합니다. 전선의 길이의 합을 구하세요.

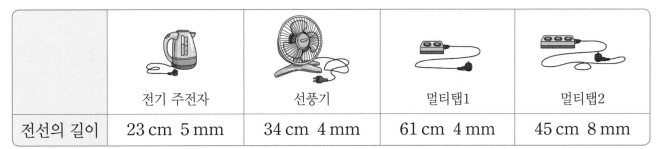

	전기 주전자	선풍기	멀티탭1	멀티탭2
전선의 길이	23 cm 5 mm	34 cm 4 mm	61 cm 4 mm	45 cm 8 mm

11 23 cm 5 mm + 61 cm 4 mm

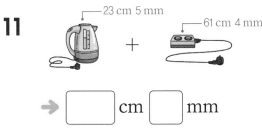

➡ ☐ cm ☐ mm

12 23 cm 5 mm + 45 cm 8 mm

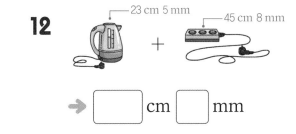

➡ ☐ cm ☐ mm

13

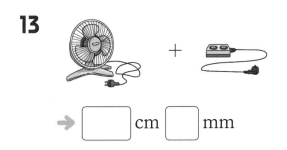

➡ ☐ cm ☐ mm

14

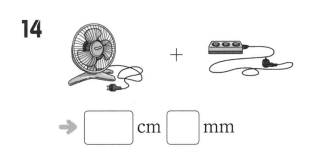

➡ ☐ cm ☐ mm

문장 읽고 계산식 세우기

15 6 cm 5 mm보다 7 cm 8 mm 더 긴 길이는 몇 cm 몇 mm?

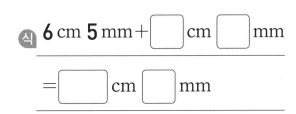

식 6 cm 5 mm + ☐ cm ☐ mm

= ☐ cm ☐ mm

16 7 cm 7 mm보다 5 cm 4 mm 더 긴 길이는 몇 cm 몇 mm?

식 7 cm 7 mm + ☐ cm ☐ mm

= ☐ cm ☐ mm

cm와 mm의 차

$$
\begin{array}{r}
\overset{4}{\cancel{5}} \ \text{cm} \ \overset{10}{2} \ \text{mm} \\
- \ 1 \ \text{cm} \ 7 \ \text{mm} \\
\hline
3 \ \text{cm} \ 5 \ \text{mm}
\end{array}
$$

└→ 10 mm+2 mm−7 mm=5 mm

같은 단위끼리 빼고
mm끼리 뺄 수 없으면
1 cm를 10 mm로 받아내림하여
계산해요.

계산해 보세요.

❶
$$
\begin{array}{r}
8 \ \text{cm} \ 4 \ \text{mm} \\
- \ 2 \ \text{cm} \ 3 \ \text{mm} \\
\hline
\square \ \text{cm} \ \square \ \text{mm}
\end{array}
$$

❷
$$
\begin{array}{r}
7 \ \text{cm} \ 8 \ \text{mm} \\
- \ 6 \ \text{cm} \ 1 \ \text{mm} \\
\hline
\square \ \text{cm} \ \square \ \text{mm}
\end{array}
$$

❸
$$
\begin{array}{r}
4 \ \text{cm} \ 5 \ \text{mm} \\
- \ 3 \ \text{cm} \ 2 \ \text{mm} \\
\hline
\square \ \text{cm} \ \square \ \text{mm}
\end{array}
$$

❹
$$
\begin{array}{r}
9 \ \text{cm} \ 7 \ \text{mm} \\
- \ 3 \ \text{cm} \ 5 \ \text{mm} \\
\hline
\square \ \text{cm} \ \square \ \text{mm}
\end{array}
$$

❺
$$
\begin{array}{r}
6 \ \text{cm} \ 9 \ \text{mm} \\
- \ 2 \ \text{cm} \ 7 \ \text{mm} \\
\hline
\square \ \text{cm} \ \square \ \text{mm}
\end{array}
$$

❻
$$
\begin{array}{r}
5 \ \text{cm} \ 8 \ \text{mm} \\
- \ 3 \ \text{cm} \ 5 \ \text{mm} \\
\hline
\square \ \text{cm} \ \square \ \text{mm}
\end{array}
$$

❼
$$
\begin{array}{r}
8 \ \text{cm} \ 4 \ \text{mm} \\
- \ 1 \ \text{cm} \ 6 \ \text{mm} \\
\hline
\square \ \text{cm} \ \square \ \text{mm}
\end{array}
$$

❽
$$
\begin{array}{r}
5 \ \text{cm} \ 4 \ \text{mm} \\
- \ 2 \ \text{cm} \ 7 \ \text{mm} \\
\hline
\square \ \text{cm} \ \square \ \text{mm}
\end{array}
$$

⑨   8 cm   1 mm
     − 2 cm   5 mm
      ☐ cm ☐ mm

⑩   9 cm   2 mm
     − 4 cm   8 mm
      ☐ cm ☐ mm

⑪   9 cm   3 mm
     − 7 cm   6 mm
      ☐ cm ☐ mm

⑫   5 cm   2 mm
     − 3 cm   7 mm
      ☐ cm ☐ mm

⑬   7 cm   1 mm
     − 1 cm   3 mm
      ☐ cm ☐ mm

⑭   9 cm
     − 2 cm   3 mm
      ☐ cm ☐ mm

⑮ 4 cm 6 mm − 2 cm 5 mm
  = ☐ cm ☐ mm

⑯ 9 cm 6 mm − 5 cm 4 mm
  = ☐ cm ☐ mm

⑰ 7 cm 3 mm − 5 cm 4 mm
  = ☐ cm ☐ mm

⑱ 9 cm 2 mm − 6 cm 8 mm
  = ☐ cm ☐ mm

⑲ 8 cm 2 mm − 6 cm 5 mm
  = ☐ cm ☐ mm

⑳ 6 cm 2 mm − 3 cm 4 mm
  = ☐ cm ☐ mm

3

길이와 시간

cm와 mm의 차

🐻 ☐ 안에 알맞은 수를 써넣으세요.

1
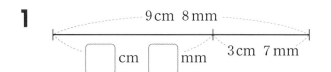
9 cm 8 mm
☐ cm ☐ mm 3 cm 7 mm

2
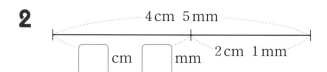
4 cm 5 mm
☐ cm ☐ mm 2 cm 1 mm

3
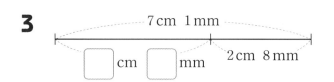
7 cm 1 mm
☐ cm ☐ mm 2 cm 8 mm

4
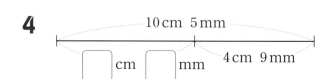
10 cm 5 mm
☐ cm ☐ mm 4 cm 9 mm

🐻 길이의 차를 구하세요.

5

9 cm 9 mm	2 cm 7 mm
☐ cm ☐ mm	

6

2 cm 3 mm	6 cm 5 mm
☐ cm ☐ mm	

7

4 cm 8 mm	7 cm 3 mm
☐ cm ☐ mm	

8

8 cm 5 mm	4 cm 7 mm
☐ cm ☐ mm	

9

7 cm 4 mm	9 cm 1 mm
☐ cm ☐ mm	

10

8 cm 8 mm	10 cm 7 mm
☐ cm ☐ mm	

플러스 계산 연습

 생활 속 계산

🐻 학용품의 길이의 차를 구하세요.

색연필	크레파스	딱풀	연필
13 cm 2 mm	8 cm 7 mm	4 cm 5 mm	6 cm 8 mm

11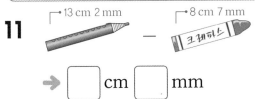
⌐13 cm 2 mm   ⌐8 cm 7 mm

→ ☐ cm ☐ mm

12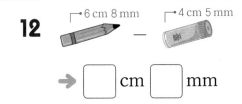
⌐6 cm 8 mm   ⌐4 cm 5 mm

→ ☐ cm ☐ mm

13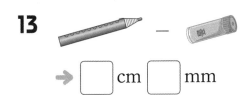

→ ☐ cm ☐ mm

14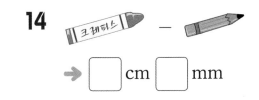

→ ☐ cm ☐ mm

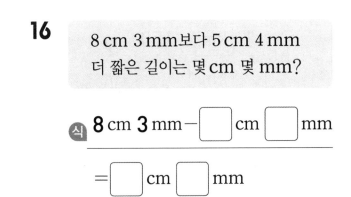

 문장 읽고 계산식 세우기

15
9 cm 5 mm보다 3 cm 2 mm
더 짧은 길이는 몇 cm 몇 mm?

식 **9** cm **5** mm − ☐ cm ☐ mm

= ☐ cm ☐ mm

16
8 cm 3 mm보다 5 cm 4 mm
더 짧은 길이는 몇 cm 몇 mm?

식 **8** cm **3** mm − ☐ cm ☐ mm

= ☐ cm ☐ mm

km와 m의 합

```
1
    2 km  500 m
  + 4 km  750 m
    7 km  250 m
```
↳ 500 m + 750 m = 1250 m

> 같은 단위끼리 더하고
> m끼리의 합이 1000이거나 1000보다
> 크면 1000 m를 1 km로 받아올림하여
> 계산해요.

🧮 계산해 보세요.

3
길이와 시간

112

①
```
    3 km    100 m
  + 2 km    300 m
  ☐ km  ☐ m
```

②
```
    1 km    400 m
  + 2 km    300 m
  ☐ km  ☐ m
```

③
```
    6 km    700 m
  + 2 km    200 m
  ☐ km  ☐ m
```

④
```
    4 km    300 m
  + 4 km    300 m
  ☐ km  ☐ m
```

⑤
```
    4 km    500 m
  + 1 km    150 m
  ☐ km  ☐ m
```

⑥
```
    6 km    750 m
  + 3 km    100 m
  ☐ km  ☐ m
```

⑦
```
    1 km    300 m
  + 2 km    800 m
  ☐ km  ☐ m
```

⑧
```
    2 km    500 m
  + 3 km    700 m
  ☐ km  ☐ m
```

⑨
　 6 km 　 700 m
+ 2 km 　 700 m
　□ km 　□ m

⑩
　 2 km 　 800 m
+ 4 km 　 500 m
　□ km 　□ m

⑪
　 5 km 　 450 m
+ 1 km 　 800 m
　□ km 　□ m

⑫
　 4 km 　 750 m
+ 3 km 　 700 m
　□ km 　□ m

⑬
　 1 km 　 550 m
+ 7 km 　 550 m
　□ km 　□ m

⑭
　 3 km 　 200 m
+ 3 km 　 850 m
　□ km 　□ m

⑮ 6 km 300 m + 2 km 100 m
= □ km □ m

⑯ 3 km 200 m + 4 km 500 m
= □ km □ m

⑰ 1 km 700 m + 5 km 900 m
= □ km □ m

⑱ 2 km 500 m + 6 km 800 m
= □ km □ m

⑲ 1 km 250 m + 4 km 800 m
= □ km □ m

⑳ 3 km 850 m + 1 km 350 m
= □ km □ m

km와 m의 합

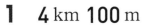 ☐ 안에 알맞은 수를 써넣으세요.

1 4 km 100 m

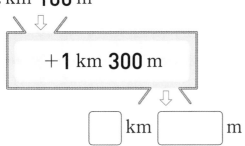

+1 km 300 m

☐ km ☐ m

2 2 km 550 m

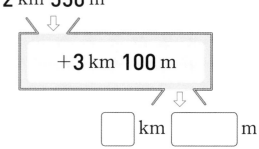

+3 km 100 m

☐ km ☐ m

3 5 km 700 m

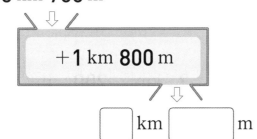

+1 km 800 m

☐ km ☐ m

4 4 km 450 m

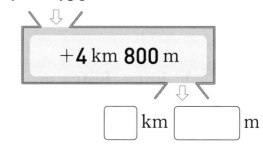

+4 km 800 m

☐ km ☐ m

 길이의 합을 구하세요.

5 3 km 300 m 5 km 200 m

☐ km ☐ m

6 2 km 400 m 4 km 200 m

☐ km ☐ m

7 2 km 100 m 3 km 550 m

☐ km ☐ m

8 6 km 600 m 2 km 800 m

☐ km ☐ m

9 1 km 500 m 4 km 550 m

☐ km ☐ m

10 3 km 650 m 5 km 650 m

☐ km ☐ m

3

길
이
와
시
간

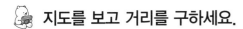
생활 속 계산

지도를 보고 거리를 구하세요.

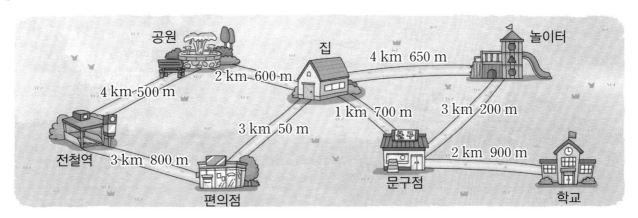

공원

집

4 km 650 m

놀이터

2 km 600 m

4 km 500 m

1 km 700 m

3 km 200 m

3 km 50 m

전철역

3 km 800 m

편의점

2 km 900 m

문구점

학교

11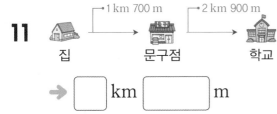

┌1 km 700 m┐ ┌2 km 900 m┐

집   문구점   학교

➡ ☐ km ☐ m

12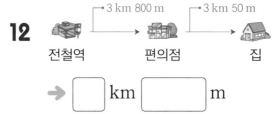

┌3 km 800 m┐ ┌3 km 50 m┐

전철역   편의점   집

➡ ☐ km ☐ m

13

집   놀이터   문구점

➡ ☐ km ☐ m

14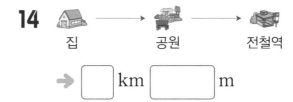

집   공원   전철역

➡ ☐ km ☐ m

문장 읽고 계산식 세우기

15

7 km 200 m보다 1 km 500 m
더 먼 거리는 몇 km 몇 m?

식 7 km 200 m + 1 km 500 m

= ☐ km ☐ m

16

2 km 800 m보다 3 km 650 m
더 먼 거리는 몇 km 몇 m?

식 2 km 800 m + 3 km 650 m

= ☐ km ☐ m

5 일차

km와 m의 차

$$
\begin{array}{c}
\overset{3}{\cancel{4}} \text{ km } \overset{1000}{500} \text{ m} \\
-\ 2 \text{ km } 700 \text{ m} \\
\hline
1 \text{ km } \underline{800} \text{ m}
\end{array}
$$

└→ 1000 m + 500 m − 700 m = 800 m

같은 단위끼리 빼고
m끼리 뺄 수 없으면
1 km를 1000 m로 받아내림하여
계산해요.

🧸 계산해 보세요.

3
길이와 시간

116

①
$$
\begin{array}{r}
3 \text{ km} \quad 700 \text{ m} \\
- \ 1 \text{ km} \quad 300 \text{ m} \\
\hline
\square \text{ km} \quad \square \text{ m}
\end{array}
$$

②
$$
\begin{array}{r}
4 \text{ km} \quad 900 \text{ m} \\
- \ 3 \text{ km} \quad 500 \text{ m} \\
\hline
\square \text{ km} \quad \square \text{ m}
\end{array}
$$

③
$$
\begin{array}{r}
6 \text{ km} \quad 800 \text{ m} \\
- \ 2 \text{ km} \quad 700 \text{ m} \\
\hline
\square \text{ km} \quad \square \text{ m}
\end{array}
$$

④
$$
\begin{array}{r}
8 \text{ km} \quad 600 \text{ m} \\
- \ 4 \text{ km} \quad 300 \text{ m} \\
\hline
\square \text{ km} \quad \square \text{ m}
\end{array}
$$

⑤
$$
\begin{array}{r}
5 \text{ km} \quad 850 \text{ m} \\
- \ 1 \text{ km} \quad 200 \text{ m} \\
\hline
\square \text{ km} \quad \square \text{ m}
\end{array}
$$

⑥
$$
\begin{array}{r}
7 \text{ km} \quad 700 \text{ m} \\
- \ 3 \text{ km} \quad 650 \text{ m} \\
\hline
\square \text{ km} \quad \square \text{ m}
\end{array}
$$

⑦
$$
\begin{array}{r}
3 \text{ km} \quad 200 \text{ m} \\
- \ 1 \text{ km} \quad 500 \text{ m} \\
\hline
\square \text{ km} \quad \square \text{ m}
\end{array}
$$

⑧
$$
\begin{array}{r}
4 \text{ km} \quad 600 \text{ m} \\
- \ 1 \text{ km} \quad 800 \text{ m} \\
\hline
\square \text{ km} \quad \square \text{ m}
\end{array}
$$

기초 계산 연습

⑨　　6 km　200 m
　− 2 km　700 m
　＝ ☐ km ☐ m

⑩　　8 km　100 m
　− 4 km　900 m
　＝ ☐ km ☐ m

⑪　　5 km　300 m
　− 3 km　400 m
　＝ ☐ km ☐ m

⑫　　9 km　250 m
　− 3 km　800 m
　＝ ☐ km ☐ m

⑬　　9 km　50 m
　− 7 km　750 m
　＝ ☐ km ☐ m

⑭　　4 km　200 m
　− 2 km　750 m
　＝ ☐ km ☐ m

⑮ 4 km 500 m − 2 km 200 m
＝ ☐ km ☐ m

⑯ 9 km 800 m − 1 km 400 m
＝ ☐ km ☐ m

⑰ 7 km 600 m − 6 km 300 m
＝ ☐ km ☐ m

⑱ 5 km 200 m − 1 km 900 m
＝ ☐ km ☐ m

⑲ 8 km 800 m − 5 km 900 m
＝ ☐ km ☐ m

⑳ 7 km 150 m − 4 km 300 m
＝ ☐ km ☐ m

km와 m의 차

🐻 ☐ 안에 알맞은 수를 써넣으세요.

1
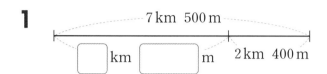
7 km 500 m
☐ km ☐ m 2 km 400 m

2
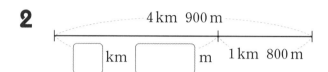
4 km 900 m
☐ km ☐ m 1 km 800 m

3
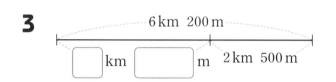
6 km 200 m
☐ km ☐ m 2 km 500 m

4
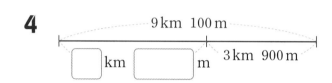
9 km 100 m
☐ km ☐ m 3 km 900 m

🐻 길이의 차를 구하세요.

5

7 km 400 m	3 km 300 m
☐ km ☐ m	

6

4 km 600 m	5 km 900 m
☐ km ☐ m	

7

3 km 700 m	8 km 800 m
☐ km ☐ m	

8

5 km 500 m	1 km 900 m
☐ km ☐ m	

9

2 km 600 m	4 km 200 m
☐ km ☐ m	

10

4 km 800 m	7 km 400 m
☐ km ☐ m	

생활 속 계산

🐻 남은 거리는 몇 km 몇 m인지 구하세요.

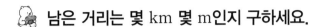

7 km 800 m   16 km 300 m   9 km 200 m   12 km 150 m

집   휴게소   놀이공원   휴양림   불국사

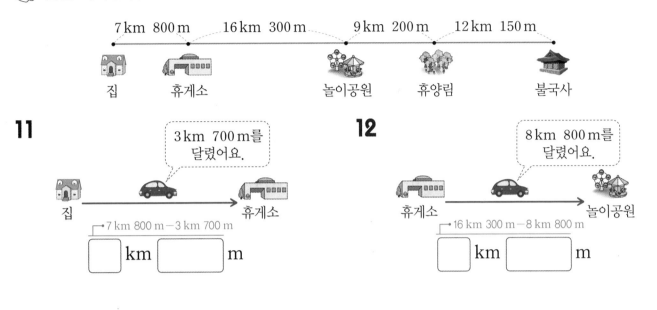

11

3 km 700 m를 달렸어요.

집 ──→ 휴게소

7 km 800 m − 3 km 700 m

☐ km ☐ m

12

8 km 800 m를 달렸어요.

휴게소 ──→ 놀이공원

16 km 300 m − 8 km 800 m

☐ km ☐ m

13

6 km 800 m를 달렸어요.

놀이공원 ──→ 휴양림

☐ km ☐ m

14

5 km 500 m를 달렸어요.

휴양림 ──→ 불국사

☐ km ☐ m

3

길이와 시간

119

문장 읽고 계산식 세우기

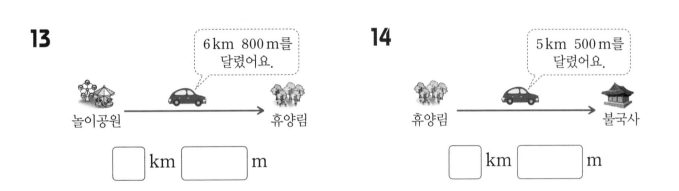

15

8 km 700 m보다 6 km 500 m 더 짧은 거리는 몇 km 몇 m?

[식] 8 km 700 m − 6 km 500 m

= ☐ km ☐ m

16

10 km 100 m보다 1 km 700 m 더 짧은 거리는 몇 km 몇 m?

[식] 10 km 100 m − 1 km 700 m

= ☐ km ☐ m

제한 시간 8분

🐻 ☐ 안에 알맞은 수를 써넣으세요.

① 3 cm 2 mm = ☐ mm

② 58 mm = ☐ cm ☐ mm

③ 4 km 200 m = ☐ m

④ 7090 m = ☐ km ☐ m

3

길이와 시간

🐻 계산해 보세요.

⑤
	2	cm	3	mm
+	1	cm	5	mm
		cm		mm

⑥
	3	cm	4	mm
+	5	cm	8	mm
		cm		mm

⑦
	7	cm	6	mm
+	1	cm	5	mm
		cm		mm

⑧
	7	cm	6	mm
−	2	cm	1	mm
		cm		mm

⑨
	4	cm	5	mm
−	1	cm	6	mm
		cm		mm

⑩
	9	cm	5	mm
−	3	cm	8	mm
		cm		mm

⑪

	4	km	100	m
+	3	km	500	m
		km		m

⑫

	2	km	400	m
+	6	km	900	m
		km		m

⑬

	1	km	300	m
+	2	km	850	m
		km		m

⑭

	7	km	600	m
−	5	km	200	m
		km		m

⑮

	9	km	100	m
−	5	km	300	m
		km		m

⑯

	7	km	150	m
−	3	km	400	m
		km		m

3

길이와 시간

121

⑰ 6 cm 7 mm + 1 cm 5 mm

= ☐ cm ☐ mm

⑱ 9 cm 1 mm − 2 cm 8 mm

= ☐ cm ☐ mm

⑲ 1 km 400 m + 3 km 700 m

= ☐ km ☐ m

⑳ 7 km 300 m − 3 km 700 m

= ☐ km ☐ m

제한 시간 안에 정확하게
모두 풀었다면 여러분은 진정한 **계산왕!**

시간의 단위

- **1초**: 초바늘이 작은 눈금 한 칸을 가는 동안 걸리는 시간
- **60초**: 초바늘이 시계를 한 바퀴 도는 데 걸리는 시간

$$\boxed{60초=1분}$$

- 100초를 몇 분 몇 초로 나타내기

$$100초=60초+40초$$
$$=1분\ 40초$$

- 1분 20초를 몇 초로 나타내기

$$1분\ 20초=60초+20초$$
$$=80초$$

🐻📖 ☐ 안에 알맞은 수를 써넣으세요.

3 길이와 시간

122

① 95초=60초+☐초
   =☐분 ☐초

② 150초=120초+☐초
   =☐분 ☐초

③ 200초=☐초+☐초
   =☐분 ☐초

④ 290초=☐초+☐초
   =☐분 ☐초

⑤ 1분 50초=☐초+50초
   =☐초

⑥ 2분 10초=☐초+10초
   =☐초

⑦ 3분 40초=☐초+40초
   =☐초

⑧ 4분 10초=☐초+10초
   =☐초

9 240초 = ☐ 분

10 190초 = ☐ 분 ☐ 초

11 160초 = ☐ 분 ☐ 초

12 280초 = ☐ 분 ☐ 초

13 430초 = ☐ 분 ☐ 초

14 500초 = ☐ 분 ☐ 초

15 235초 = ☐ 분 ☐ 초

16 335초 = ☐ 분 ☐ 초

17 3분 = ☐ 초

18 4분 20초 = ☐ 초

19 3분 50초 = ☐ 초

20 5분 40초 = ☐ 초

21 3분 15초 = ☐ 초

22 6분 25초 = ☐ 초

23 5분 5초 = ☐ 초

24 7분 55초 = ☐ 초

시간의 단위

🐻 시간이 같은 것끼리 선으로 이어 보세요.

1

220초 •

280초 •

• 2분 20초

• 3분 40초

• 4분 40초

2

310초 •

350초 •

• 5분 50초

• 5분 10초

• 3분 50초

3

4분 •

4분 50초 •

• 450초

• 290초

• 240초

4

6분 •

6분 20초 •

• 360초

• 380초

• 620초

🐻 시간이 더 긴 쪽에 ○표 하세요.

5

2분	130초
( )	( )

6

170초	3분
( )	( )

7

3분 30초	200초
( )	( )

8

270초	4분 20초
( )	( )

9

5분 10초	290초
( )	( )

10

410초	4분 10초
( )	( )

▶ 정답과 해설 17쪽

생활 속 문제

11 전자레인지를 이용하여 음식을 만드는 데 걸리는 시간입니다. 시간을 2가지로 나타내어 보세요.

 밥 데우기	 만두 찌기	 달걀찜	 단호박 찌기
210초	380초	□초	□초
□분 □초	□분 □초	8분 20초	5분 15초

문장 읽고 문제 해결하기

12 270초와 같은 시간은 몇 분 몇 초?

답 ______ 분 ______ 초

13 410초와 같은 시간은 몇 분 몇 초?

답 ______ 분 ______ 초

14 365초와 같은 시간은 몇 분 몇 초?

답 ______ 분 ______ 초

15 2분 50초와 같은 시간은 몇 초?

답 ______ 초

16 3분 55초와 같은 시간은 몇 초?

답 ______ 초

17 6분 45초와 같은 시간은 몇 초?

답 ______ 초

7 일차

분, 초의 합

🐻 계산해 보세요.

 **3** 길이와 시간

①
```
    15 분 15 초
  +  6 분 30 초
  ──────────
    [  ] 분 [  ] 초
```

②
```
    14 분 15 초
  + 17 분 35 초
  ──────────
    [  ] 분 [  ] 초
```

③
```
     9 분 26 초
  + 18 분 17 초
  ──────────
    [  ] 분 [  ] 초
```

④
```
    25 분 32 초
  + 19 분  8 초
  ──────────
    [  ] 분 [  ] 초
```

126

⑤
```
    11 분 25 초
  + 32 분 16 초
  ──────────
    [  ] 분 [  ] 초
```

⑥
```
     8 분  5 초
  + 27 분 26 초
  ──────────
    [  ] 분 [  ] 초
```

⑦
```
    13 분 50 초
  + 28 분 12 초
  ──────────
    [  ] 분 [  ] 초
```

⑧
```
    25 분 20 초
  +  8 분 55 초
  ──────────
    [  ] 분 [  ] 초
```

기초 계산 연습

⑨
```
    34 분   40 초
+   16 분   40 초
  [    ]분 [    ]초
```

⑩
```
     4 분   45 초
+   39 분   50 초
  [    ]분 [    ]초
```

⑪
```
    18 분   40 초
+   13 분   35 초
  [    ]분 [    ]초
```

⑫
```
    23 분   55 초
+   17 분   35 초
  [    ]분 [    ]초
```

⑬
```
     9 분   42 초
+   17 분   26 초
  [    ]분 [    ]초
```

⑭
```
    32 분   45 초
+   14 분   25 초
  [    ]분 [    ]초
```

⑮ 12분 20초＋6분 20초
= [   ]분 [   ]초

⑯ 23분 30초＋8분 25초
= [   ]분 [   ]초

⑰ 14분 15초＋25분 25초
= [   ]분 [   ]초

⑱ 23분 45초＋17분 30초
= [   ]분 [   ]초

⑲ 34분 25초＋16분 55초
= [   ]분 [   ]초

⑳ 22분 55초＋17분 45초
= [   ]분 [   ]초

분, 초의 합

🐻 ☐ 안에 알맞은 수를 써넣으세요.

1

| 25분 30초 |
| 25분 10초 | $+$

☐ 분 ☐ 초

2

| 20분 5초 |
| 35분 25초 | $+$

☐ 분 ☐ 초

3

| 28분 50초 |
| 12분 40초 | $+$

☐ 분 ☐ 초

4

| 19분 45초 |
| 13분 35초 | $+$

☐ 분 ☐ 초

3

길이와 시간

🐻 시간의 합을 구하세요.

5   23분 15초   13분 30초

☐ 분 ☐ 초

6   17분 25초   31분 25초

☐ 분 ☐ 초

7   15분 45초   8분 10초

☐ 분 ☐ 초

8   7분 40초   27분 25초

☐ 분 ☐ 초

9   13분 45초   27분 30초

☐ 분 ☐ 초

10   22분 55초   17분 25초

☐ 분 ☐ 초

플러스 계산 연습

생활 속 계산

🐻 민지네 모둠 학생들이 대청소를 하고 있습니다. 주어진 두 일을 하는 데 걸리는 시간을 구하세요.

분리 수거	교실 쓸기	창문 닦기	책상 닦기
9분 35초	18분 20초	26분 55초	24분 10초

11

➡ ▢ 분 ▢ 초

12

➡ ▢ 분 ▢ 초

13

➡ ▢ 분 ▢ 초

14

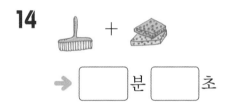

➡ ▢ 분 ▢ 초

문장 읽고 계산식 세우기

15 국어 숙제는 23분 20초 동안, 수학 숙제는 14분 10초 동안 했다면 숙제를 한 시간은 모두 몇 분 몇 초?

식 **23분 20초**+ ▢ 분 ▢ 초

= ▢ 분 ▢ 초

16 줄넘기는 15분 30초 동안, 자전거는 20분 40초 동안 탔다면 운동을 한 시간은 모두 몇 분 몇 초?

식 **15분 30초**+ ▢ 분 ▢ 초

= ▢ 분 ▢ 초

시, 분, 초의 합

1

	2 시	30 분	15 초
+	4 시간	40 분	20 초
	7 시	10 분	35 초

→ 70분 = 1시간 10분

같은 단위끼리 더하고
분 단위끼리의 합이 60이거나
60보다 크면 60분을 1시간으로
받아올림하여 계산해요.

3

길이와 시간

130

계산해 보세요.

❶
```
    1 시    25 분
+   3 시간  20 분
─────────────────
  [  ] 시  [  ] 분
```

❷
```
    2 시    16 분
+   5 시간  20 분
─────────────────
  [  ] 시  [  ] 분
```

❸
```
    3 시    36 분
+   3 시간  35 분
─────────────────
  [  ] 시  [  ] 분
```

❹
```
    6 시    26 분
+   2 시간  48 분
─────────────────
  [  ] 시  [  ] 분
```

❺
```
    6 시    14 분   20 초
+   1 시간  25 분   20 초
─────────────────────────
  [  ] 시  [  ] 분  [  ] 초
```

❻
```
    4 시    7 분    15 초
+   1 시간  15 분   30 초
─────────────────────────
  [  ] 시  [  ] 분  [  ] 초
```

❼
```
    1 시    55 분   30 초
+   3 시간  40 분   15 초
─────────────────────────
  [  ] 시  [  ] 분  [  ] 초
```

❽
```
    2 시    37 분   15 초
+   2 시간  43 분   10 초
─────────────────────────
  [  ] 시  [  ] 분  [  ] 초
```

❾
　　5 시간　26 분　25 초
＋　3 시간　 9 분　 9 초
　　□ 시간　□ 분　□ 초

❿
　　3 시간　14 분　29 초
＋　2 시간　16 분　10 초
　　□ 시간　□ 분　□ 초

⓫
　　5 시간　33 분　16 초
＋　1 시간　35 분　27 초
　　□ 시간　□ 분　□ 초

⓬
　　2 시간　55 분　25 초
＋　6 시간　39 분　10 초
　　□ 시간　□ 분　□ 초

⓭
　　4 시간　19 분　47 초
＋　3 시간　50 분　38 초
　　□ 시간　□ 분　□ 초

⓮
　　2 시간　35 분　45 초
＋　2 시간　35 분　25 초
　　□ 시간　□ 분　□ 초

3

길이와 시간

131

⓯ 2시 25분＋5시간 14분
　=□시 □분

⓰ 4시 37분＋2시간 40분
　=□시 □분

⓱ 3시 13분 15초＋4시간 35분 35초
　=□시 □분 □초

⓲ 5시 50분 14초＋3시간 30분 16초
　=□시 □분 □초

⓳ 2시간 35분 30초＋2시간 45분 15초
　=□시간 □분 □초

⓴ 4시간 28분 45초＋3시간 38분 45초
　=□시간 □분 □초

시, 분, 초의 합

🐻 ☐ 안에 알맞은 수를 써넣으세요.

1 2시 25분

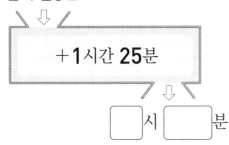

+1시간 25분

☐시 ☐분

2 5시 40분

+1시간 35분

☐시 ☐분

3 3시 35분 20초

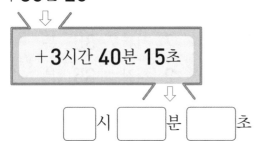

+3시간 40분 15초

☐시 ☐분 ☐초

4 6시 50분 40초

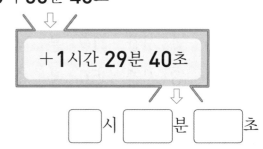

+1시간 29분 40초

☐시 ☐분 ☐초

🐻 시간의 합을 구하세요.

5

3시간 25분	4시간 6분
☐시간 ☐분	

6

2시간 40분	2시간 45분
☐시간 ☐분	

7

5시간 40분 15초	2시간 35분 20초
☐시간 ☐분 ☐초	

8

1시간 25분 30초	3시간 45분 45초
☐시간 ☐분 ☐초	

플러스 계산 연습

▶ 정답과 해설 18쪽

생활 속 계산

🐻 빵을 만드는 데 걸리는 시간의 합을 구하세요.

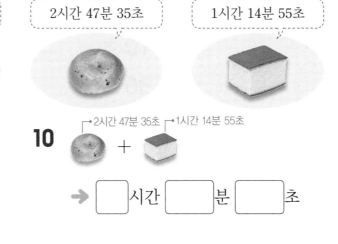

| 2시간 25분 40초 | 1시간 30분 30초 | 2시간 47분 35초 | 1시간 14분 55초 |

9
┌2시간 25분 40초 ┌1시간 30분 30초

➡ ☐시간 ☐분 ☐초

10
┌2시간 47분 35초 ┌1시간 14분 55초

➡ ☐시간 ☐분 ☐초

11

➡ ☐시간 ☐분 ☐초

12

➡ ☐시간 ☐분 ☐초

문장 읽고 계산식 세우기

13 책 읽기를 1시 15분에 시작하여 2시간 25분 동안 하였다면 책 읽기를 끝낸 시각은 몇 시 몇 분?

식 1시 15분+☐시간 ☐분

＝☐시 ☐분

14 피아노 치기를 4시 30분에 시작하여 1시간 45분 동안 하였다면 피아노 치기를 끝낸 시각은 몇 시 몇 분?

식 4시 30분+☐시간 ☐분

＝☐시 ☐분

분, 초의 차

$$
\begin{array}{r}
6 \quad\ 60 \\
\not{7} \text{분}\ \ 10 \text{초} \\
-\ 2 \text{분}\ \ 30 \text{초} \\
\hline
4 \text{분}\ \ 40 \text{초}
\end{array}
$$

→ 60초＋10초－30초＝40초

같은 단위끼리 빼고, 초 단위끼리 뺄 수 없으면 1분을 60초로 받아내림하여 계산해요.

🐻 계산해 보세요.

❶
```
    40 분  20 초
  - 27 분   5 초
  ┌───┐분 ┌───┐초
```

❷
```
    12 분  34 초
  -  9 분  14 초
  ┌───┐분 ┌───┐초
```

❸
```
    35 분  52 초
  - 14 분  30 초
  ┌───┐분 ┌───┐초
```

❹
```
    20 분  45 초
  - 11 분  39 초
  ┌───┐분 ┌───┐초
```

❺
```
    25 분  30 초
  -  7 분  15 초
  ┌───┐분 ┌───┐초
```

❻
```
    50 분  45 초
  - 15 분  28 초
  ┌───┐분 ┌───┐초
```

❼
```
    17 분  20 초
  - 10 분  40 초
  ┌───┐분 ┌───┐초
```

❽
```
    19 분  20 초
  -  4 분  30 초
  ┌───┐분 ┌───┐초
```

기초 계산 연습

⑨

	15 분	35 초
−	9 분	55 초
	☐ 분	☐ 초

⑩

	22 분	5 초
−	8 분	15 초
	☐ 분	☐ 초

⑪

	37 분	10 초
−	16 분	55 초
	☐ 분	☐ 초

⑫

	23 분	22 초
−	11 분	40 초
	☐ 분	☐ 초

⑬

	51 분	7 초
−	25 분	20 초
	☐ 분	☐ 초

⑭

	43 분	10 초
−	13 분	45 초
	☐ 분	☐ 초

⑮ 54분 30초−26분 10초

= ☐ 분 ☐ 초

⑯ 47분 50초−19분 45초

= ☐ 분 ☐ 초

⑰ 50분 50초−15분 25초

= ☐ 분 ☐ 초

⑱ 25분 30초−7분 45초

= ☐ 분 ☐ 초

⑲ 27분 24초−10분 40초

= ☐ 분 ☐ 초

⑳ 29분 20초−14분 35초

= ☐ 분 ☐ 초

분, 초의 차

🐻 ☐ 안에 알맞은 수를 써넣으세요.

1

| 12분 32초 |
| 4분 20초 |

─

☐ 분 ☐ 초 ←

2

| 25분 45초 |
| 9분 10초 |

─

☐ 분 ☐ 초 ←

3

| 32분 35초 |
| 14분 40초 |

─

☐ 분 ☐ 초 ←

4

| 26분 5초 |
| 5분 25초 |

─

☐ 분 ☐ 초 ←

🐻 시간의 차를 구하세요.

5 40분 20초 13분 15초

☐ 분 ☐ 초

6 8분 15초 34분 50초

☐ 분 ☐ 초

7 45분 40초 17분 15초

☐ 분 ☐ 초

8 51분 20초 16분 50초

☐ 분 ☐ 초

9 10분 35초 25분 30초

☐ 분 ☐ 초

10 27분 20초 17분 50초

☐ 분 ☐ 초

플러스 계산 연습

생활 속 계산

🐻 자전거를 탔을 때 출발 지점부터 각 지점까지 걸리는 시간을 나타낸 것입니다. 주어진 두 지점 사이를 가는 데 걸리는 시간을 구하세요.

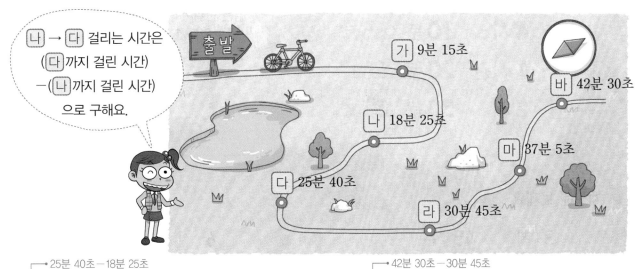

나 → 다 걸리는 시간은
(다 까지 걸린 시간)
-(나 까지 걸린 시간)
으로 구해요.

11 ┌─25분 40초−18분 25초

| 나 | → | 다 |

➡ [   ] 분 [   ] 초

12 ┌─42분 30초−30분 45초

| 라 | → | 바 |

➡ [   ] 분 [   ] 초

13 | 가 | → | 라 |

➡ [   ] 분 [   ] 초

14 | 다 | → | 마 |

➡ [   ] 분 [   ] 초

문장 읽고 계산식 세우기

15 주미는 9분 50초 동안 달렸고, 혜수는 주미보다 2분 30초 더 짧게 달렸다면 혜수가 달린 시간은 몇 분 몇 초?

식 **9**분 **50**초−[   ] 분 [   ] 초

= [   ] 분 [   ] 초

16 현수는 24분 20초 동안 달렸고, 민호는 현수보다 8분 35초 더 짧게 달렸다면 민호가 달린 시간은 몇 분 몇 초?

식 **24**분 **20**초−[   ] 분 [   ] 초

= [   ] 분 [   ] 초

시, 분, 초의 차

$$\begin{array}{cccc}
& 3 & 60 & \\
& \cancel{4}\text{시} & 10\text{분} & 55\text{초} \\
- & 1\text{시간} & 20\text{분} & 20\text{초} \\
\hline
& 2\text{시} & 50\text{분} & 35\text{초}
\end{array}$$

└ 60분＋10분－20분＝50분

같은 단위끼리 빼고, 분 단위끼리 뺄 수 없으면 1시간을 60분으로 받아내림하여 계산해요.

🐻 계산해 보세요.

3
길이와 시간

138

❶

3	시	45	분
－ 1	시간	15	분

□ 시   □ 분

❷

6	시	25	분
－ 2	시	40	분

□ 시간   □ 분

❸

7	시	54	분	40	초
－ 4	시간	21	분	35	초

□ 시   □ 분   □ 초

❹

10	시	47	분	45	초
－ 1	시간	29	분	25	초

□ 시   □ 분   □ 초

❺

10	시	10	분	35	초
－ 4	시간	47	분	20	초

□ 시   □ 분   □ 초

❻

9	시	44	분	40	초
－ 7	시간	13	분	45	초

□ 시   □ 분   □ 초

❼

11	시	32	분	40	초
－ 4	시	21	분	20	초

□ 시간   □ 분   □ 초

❽

12	시	25	분	50	초
－ 7	시	15	분	5	초

□ 시간   □ 분   □ 초

⑨　　7 시　　22 분　　46 초
　− 　5 시　　35 분　　14 초
　　　[　]시간　[　]분　[　]초

⑩　　5 시　　19 분　　20 초
　− 　3 시　　48 분　　13 초
　　　[　]시간　[　]분　[　]초

⑪　　5 시간　20 분　　30 초
　− 　3 시간　14 분　　15 초
　　　[　]시간　[　]분　[　]초

⑫　　8 시간　50 분　　45 초
　− 　2 시간　35 분　　20 초
　　　[　]시간　[　]분　[　]초

⑬　　9 시간　20 분　　46 초
　− 　5 시간　38 분　　39 초
　　　[　]시간　[　]분　[　]초

⑭　　8 시간　5 분　　50 초
　− 　4 시간　20 분　　45 초
　　　[　]시간　[　]분　[　]초

⑮ 8시 40분−6시간 25분
　=[　]시 [　]분

⑯ 7시 20분−3시 26분
　=[　]시간 [　]분

⑰ 5시 40분 30초−2시 25분 5초
　=[　]시간 [　]분 [　]초

⑱ 9시 8분 55초−1시 28분 15초
　=[　]시간 [　]분 [　]초

⑲ 8시 20분 40초−2시간 25분 10초
　=[　]시 [　]분 [　]초

⑳ 7시간 10분 37초−4시간 50분 17초
　=[　]시간 [　]분 [　]초

3

길이와 시간

139

시, 분, 초의 차

🐻 ☐ 안에 알맞은 수를 써넣으세요.

1 6시 25분

−3시간 10분

☐시 ☐분

2 5시 30분

−1시 35분

☐시간 ☐분

3 7시 35분 50초

−4시간 40분 40초

☐시 ☐분 ☐초

4 11시 10분 40초

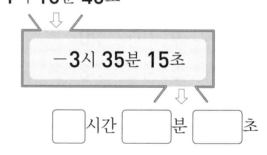

−3시 35분 15초

☐시간 ☐분 ☐초

🐻 시간의 차를 구하세요.

5

5시간 40분	2시간 27분

☐시간 ☐분

6

2시간 40분	8시간 25분

☐시간 ☐분

7

7시간 15분 45초	1시간 30분 20초

☐시간 ☐분 ☐초

8

2시간 45분 30초	7시간 20분 35초

☐시간 ☐분 ☐초

생활 속 계산

🐻 각각의 이동 수단으로 서울에서 부산까지 걸리는 시간이 아래와 같을 때 서울에서 출발한 시각을 구하세요.

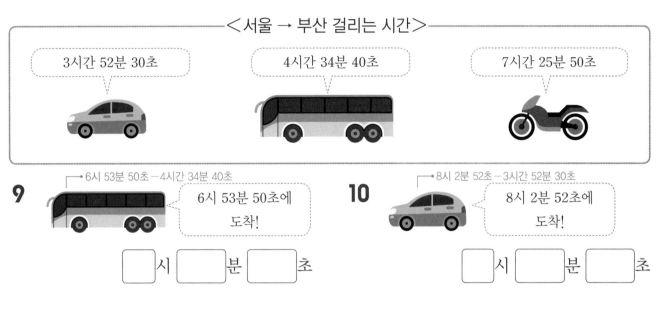

━〈서울 → 부산 걸리는 시간〉━

3시간 52분 30초

4시간 34분 40초

7시간 25분 50초

9 →6시 53분 50초−4시간 34분 40초

6시 53분 50초에 도착!

[   ]시 [   ]분 [   ]초

10 →8시 2분 52초−3시간 52분 30초

8시 2분 52초에 도착!

[   ]시 [   ]분 [   ]초

3

길이와 시간

11

9시 19분 58초에 도착!

[   ]시 [   ]분 [   ]초

12

7시 40분 10초에 도착!

[   ]시 [   ]분 [   ]초

141

문장 읽고 계산식 세우기

13 지호가 책 읽기를 5시 20분에 시작하여 7시 45분에 끝냈다면 책을 읽은 시간은 몇 시간 몇 분?

식 **7**시 **45**분−[   ]시 [   ]분

=[   ]시간 [   ]분

14 경호가 축구를 1시 30분에 시작하여 4시 10분에 끝냈다면 축구를 한 시간은 몇 시간 몇 분?

식 **4**시 **10**분−[   ]시 [   ]분

=[   ]시간 [   ]분

제한 시간 10분

🐻 ☐ 안에 알맞은 수를 써넣으세요.

1 220초 = ☐ 분 ☐ 초

2 335초 = ☐ 분 ☐ 초

3 4분 40초 = ☐ 초

4 6분 10초 = ☐ 초

3

길이와 시간

🐻 계산해 보세요.

5

	시	분		초
	12	분	25	초
+	16	분	15	초
		분		초

6

	분		초
14	분	35	초
+ 24	분	45	초
	분		초

142

7

	시		분
5	시	30	분
+ 3	시간	55	분
	시		분

8

	시		분		초
3	시	8	분	29	초
+ 1	시간	24	분	16	초
	시		분		초

9

	시		분		초
4	시	23	분	45	초
+ 2	시간	16	분	35	초
	시		분		초

10

	시간		분		초
6	시간	39	분	25	초
+ 2	시간	25	분	25	초
	시간		분		초

⑪

	20	분	50	초
−	7	분	15	초
		분		초

⑫

	41	분	15	초
−	17	분	35	초
		분		초

⑬

	8	시	20	분
−	3	시간	40	분
		시		분

⑭

	4	시간	45	분	43	초
−	1	시간	25	분	10	초
		시간		분		초

⑮

	7	시	5	분	49	초
−	1	시간	26	분	38	초
		시		분		초

⑯

	12	시	50	분	5	초
−	9	시	40	분	20	초
		시간		분		초

⑰ 46분 27초＋7분 35초
= ☐ 분 ☐ 초

⑱ 5시 40분 25초＋2시간 25분 10초
= ☐ 시 ☐ 분 ☐ 초

⑲ 35분 15초－18분 45초
= ☐ 분 ☐ 초

⑳ 8시 20분 50초－5시 45분 5초
= ☐ 시간 ☐ 분 ☐ 초

제한 시간 안에 정확하게
모두 풀었다면 여러분은 진정한 계산왕!

문장제 문제 도전하기

1

	1	시	35	분	30	초
+	1	시간	15	분	50	초

☐ 시 ☐ 분 ☐ 초

이 시간의 합과 차가
실생활에서 어떤
상황에 이용될까요?

➡ 수영을 **1**시 **35**분 **30**초에 시작하여 **1**시간 **15**분 **50**초 동안 하였습니다.
수영을 마친 시각은 몇 시 몇 분 몇 초일까요?

└• 스톱워치: 시간을 정확히 재는 데에 쓰는 시계

시작한 시각　　　　　　마친 시각

식 _____

답 _____ 시 _____ 분 _____ 초

2

	4	시	30	분	40	초
−	1	시간	55	분	10	초

☐ 시 ☐ 분 ☐ 초

➡ **1**시간 **55**분 **10**초 동안 책 읽기를 하여 **4**시 **30**분 **40**초에 마쳤습니다.
책을 읽기 시작한 시각은 몇 시 몇 분 몇 초일까요?

시작한 시각　　　　　　마친 시각

식 _____

답 _____ 시 _____ 분 _____ 초

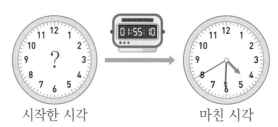

문장을 읽고 알맞은 계산식을 세워 답을 구해 보자!

3 저녁 식사를 **6**시 **50**분 **10**초()에 시작하여 **1**시간 **15**분 **25**초() 동안 하였

습니다. 저녁 식사를 마친 시각은 몇 시 몇 분 몇 초일까요?

➡ ☐시 ☐분 ☐초 + ☐시간 ☐분 ☐초

= ☐시 ☐분 ☐초

4 **3**시간 **40**분 **10**초() 동안 피아노 치기를 하여 **6**시 **5**분 **40**초()에 마쳤습니다.

피아노 치기를 시작한 시각은 몇 시 몇 분 몇 초일까요?

➡ ☐시 ☐분 ☐초 - ☐시간 ☐분 ☐초

= ☐시 ☐분 ☐초

145

3

길이와 시간

세계의 시간

융합 1 시차는 세계 표준시를 기준으로 하여 정한 세계 각 지역의 시간 차이를 말합니다.

(1) 우리 나라가 오후 5시 25분 40초일 때 방콕의 시각은 오후 몇 시 몇 분 몇 초일까요?

답 오후 _____ 시 _____ 분 _____ 초

(2) 우리 나라가 오후 9시 37분 25초일 때 파리의 시각은 오후 몇 시 몇 분 몇 초일까요?

답 오후 _____ 시 _____ 분 _____ 초

우리나라에 있는 다리의 길이를 조사하여 나타낸 것입니다. 표를 완성해 보세요.

다리	서해대교	광안대교	영종대교
km와 m로 나타내기	7 km 310 m	☐ km ☐ m	☐ km ☐ m
m로 나타내기	☐ m	7420 m	4420 m

창의 3 장난감 시계가 **3**시 **50**분을 나타낼 때 버튼을 누르면 다음과 같은 규칙으로 시각이 바뀝니다.

규칙
■ : 20분 전   ■ : 45초 후

예 • ■ 을 한 번 눌렀을 때: 3시 50분－20분＝3시 30분
   • ■ 을 한 번 눌렀을 때: 3시 50분＋45초＝3시 50분 45초

장난감 시계가 **6**시 **5**분을 나타낼 때 ■ 과 ■ 을 차례로 한 번씩 누르면 나타나는 시각은 몇 시 몇 분 몇 초일까요? (단, 누르는 시간은 생각하지 않습니다.)

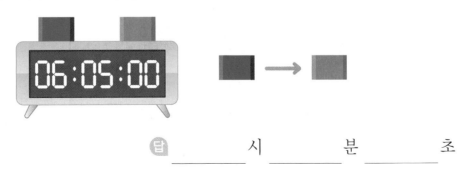

답 _____ 시 _____ 분 _____ 초

분수와 소수

실생활에서 알아보는 재미있는 수학 이야기

이번에 배울 내용을 알아볼까요?

분수 알아보기

부분 ▮ 은 전체 ☐ 를 똑같이 **2**로 나눈 것 중의 1 ➡ $\dfrac{1}{2}$

쓰기 $\dfrac{1}{2}$ ← 분자 / ← 분모

읽기 **2**분의 **1**

$\dfrac{1}{2}$, $\dfrac{3}{4}$과 같은 수를 분수라고 해요.

🐻 색칠한 부분은 전체의 얼마인지 분수로 나타내어 보세요.

150

❶ 부분 ◢ 은 전체 △ 를 똑같이 **3**으로 나눈 것 중의 ☐ ➡ $\dfrac{☐}{3}$

❷ 부분 ▯ 은 전체 ▦ 를 똑같이 **4**로 나눈 것 중의 ☐ ➡ $\dfrac{☐}{☐}$

❸ 부분 ◣ 은 전체 ⬠ 를 똑같이 ☐로 나눈 것 중의 ☐ ➡ $\dfrac{☐}{☐}$

❹ 부분 ◔ 은 전체 ⊕ 를 똑같이 ☐으로 나눈 것 중의 ☐ ➡ $\dfrac{☐}{☐}$

기초 계산 연습

제한 시간 3분

제한 시간 3분

기초 계산 연습

맞은 개수   / 15개

▶ 정답과 해설 21쪽

 보기 와 같이 색칠한 부분을 분수로 나타내어 보세요.

보기

$\dfrac{1}{3}$ → 색칠한 칸의 수
→ 전체 칸의 수

⑤

⑥

⑦

⑧

⑨

⑩

⑪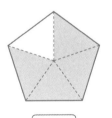

⑫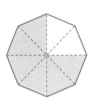

⑬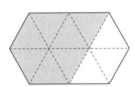

⑭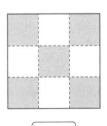

⑮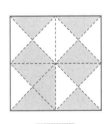

4

분수와 소수

151

분수 알아보기

🐻📖 색칠한 부분과 색칠하지 않은 부분을 차례로 분수로 나타내어 보세요.

1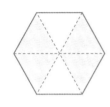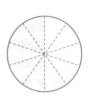

색칠한 부분   색칠하지 않은 부분

2

색칠한 부분   색칠하지 않은 부분

3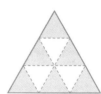

4

🐻📖 주어진 분수만큼 색칠해 보세요.

5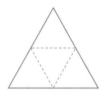

$\dfrac{3}{4}$

6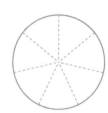

$\dfrac{2}{7}$

7

$\dfrac{4}{6}$

8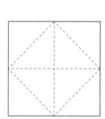

$\dfrac{6}{8}$

9

$\dfrac{2}{5}$

10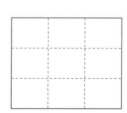

$\dfrac{4}{9}$

플러스 계산 연습

생활 속 문제

먹고 남은 부분을 분수로 나타내어 보세요.

11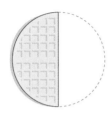

12

13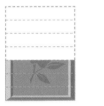

14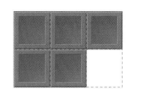

15

16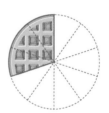

4

분수와 소수

153

문장 읽고 문제 해결하기

17 전체를 똑같이 8로 나눈 것 중의 7을 분수로 나타내면?

답 _____

18 전체를 똑같이 11로 나눈 것 중의 6을 분수로 나타내면?

답 _____

19 빵 한 개를 똑같이 9조각으로 나눈 것 중의 4조각을 분수로 나타내면?

답 _____

20 색종이 한 장을 똑같이 16조각으로 나눈 것 중의 7조각을 분수로 나타내면?

답 _____

분수의 크기 비교

이렇게 해결하자

• 분모가 같은 분수의 크기 비교

$$\frac{2}{4} \;<\; \frac{3}{4}$$

분모가 같은 분수는
분자가 큰 분수가 더 커요.

• <u>단위분수</u>의 크기 비교

분수 중에서 $\frac{1}{2}$, $\frac{1}{3}$과 같이 분자가 1인 분수

$$\frac{1}{5} \;<\; \frac{1}{3}$$

단위분수는 분모가 작은
분수가 더 커요.

분수의 크기를 비교하여 ○ 안에 >, <를 알맞게 써넣으세요.

1

$$\frac{1}{3} \;\bigcirc\; \frac{2}{3}$$

2

$$\frac{5}{6} \;\bigcirc\; \frac{3}{6}$$

3

$$\frac{4}{5} \;\bigcirc\; \frac{3}{5}$$

4

$$\frac{3}{8} \;\bigcirc\; \frac{5}{8}$$

5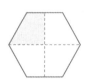

$$\frac{1}{4} \;\bigcirc\; \frac{1}{6}$$

6

$$\frac{1}{4} \;\bigcirc\; \frac{1}{9}$$

7 $\dfrac{5}{7}$ ◯ $\dfrac{6}{7}$

8 $\dfrac{7}{8}$ ◯ $\dfrac{4}{8}$

9 $\dfrac{4}{6}$ ◯ $\dfrac{2}{6}$

10 $\dfrac{2}{10}$ ◯ $\dfrac{7}{10}$

11 $\dfrac{3}{9}$ ◯ $\dfrac{5}{9}$

12 $\dfrac{8}{11}$ ◯ $\dfrac{7}{11}$

13 $\dfrac{7}{12}$ ◯ $\dfrac{11}{12}$

14 $\dfrac{15}{16}$ ◯ $\dfrac{13}{16}$

15 $\dfrac{9}{17}$ ◯ $\dfrac{11}{17}$

16 $\dfrac{1}{7}$ ◯ $\dfrac{1}{6}$

17 $\dfrac{1}{9}$ ◯ $\dfrac{1}{5}$

18 $\dfrac{1}{6}$ ◯ $\dfrac{1}{2}$

19 $\dfrac{1}{11}$ ◯ $\dfrac{1}{12}$

20 $\dfrac{1}{8}$ ◯ $\dfrac{1}{10}$

21 $\dfrac{1}{15}$ ◯ $\dfrac{1}{12}$

22 $\dfrac{1}{10}$ ◯ $\dfrac{1}{17}$

23 $\dfrac{1}{14}$ ◯ $\dfrac{1}{11}$

24 $\dfrac{1}{19}$ ◯ $\dfrac{1}{20}$

4

분수와 소수

155

분수의 크기 비교

🐻 분수의 크기를 비교하여 더 큰 수에 ◯표 하세요.

1 $\dfrac{2}{5}$ $\dfrac{4}{5}$

2 $\dfrac{6}{7}$ $\dfrac{3}{7}$

3 $\dfrac{5}{10}$ $\dfrac{8}{10}$

4 $\dfrac{7}{12}$ $\dfrac{5}{12}$

5 $\dfrac{1}{3}$ $\dfrac{1}{7}$

6 $\dfrac{1}{4}$ $\dfrac{1}{8}$

7 $\dfrac{1}{11}$ $\dfrac{1}{9}$

8 $\dfrac{1}{15}$ $\dfrac{1}{11}$

4

분수와 소수

🐻 분수의 크기를 비교하여 빈칸에 더 작은 수를 써넣으세요.

9 $\dfrac{5}{6}$ $\dfrac{2}{6}$

10 $\dfrac{4}{11}$ $\dfrac{8}{11}$

11 $\dfrac{1}{7}$ $\dfrac{1}{9}$

12 $\dfrac{1}{10}$ $\dfrac{1}{12}$

생활 속 문제

🐻 마시고 남은 양을 분수로 나타내고, 분수의 크기를 비교하여 ○ 안에 >, <를 알맞게 써넣으세요.

13

$$\dfrac{2}{3} \bigcirc \boxed{}$$

14

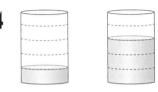

$$\boxed{} \bigcirc \dfrac{3}{5}$$

15

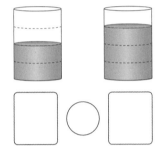

$$\boxed{} \bigcirc \boxed{}$$

16

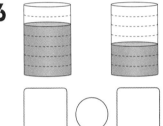

$$\boxed{} \bigcirc \boxed{}$$

문장 읽고 문제 해결하기

17 $\dfrac{5}{8}$와 $\dfrac{7}{8}$ 중 더 큰 분수는?

$$\dfrac{5}{8} \bigcirc \dfrac{7}{8} \rightarrow 답 \boxed{}$$

18 $\dfrac{1}{7}$과 $\dfrac{1}{10}$ 중 더 작은 분수는?

$$\dfrac{1}{7} \bigcirc \dfrac{1}{10} \rightarrow 답 \boxed{}$$

19 초록 끈 $\dfrac{10}{11}$ m와 분홍 끈 $\dfrac{8}{11}$ m 중 더 짧은 끈은?

$$\dfrac{10}{11} \bigcirc \dfrac{8}{11} \rightarrow 답 \boxed{}$$

20 집에서 문구점까지 $\dfrac{1}{11}$ km, 학교까지 $\dfrac{1}{9}$ km라면 집에서 더 먼 곳은?

$$\dfrac{1}{11} \bigcirc \dfrac{1}{9} \rightarrow 답 \boxed{}$$

4

분수와 소수

157

3 일차

소수 알아보기

이렇게 해결하자

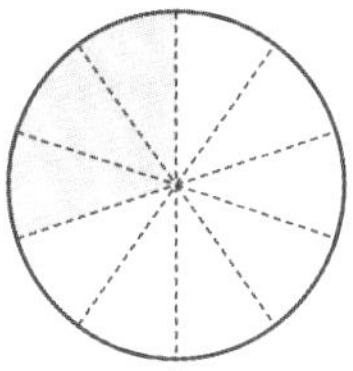
전체를 똑같이 10으로 나눈 것 중의 3

쓰기 **0.3**

읽기 영 점 삼

0.1, 0.2, 0.3과 같은 수를 소수라 하고 '.'을 소수점이라고 해요.

색칠한 부분을 소수로 나타내어 보세요.

❶ 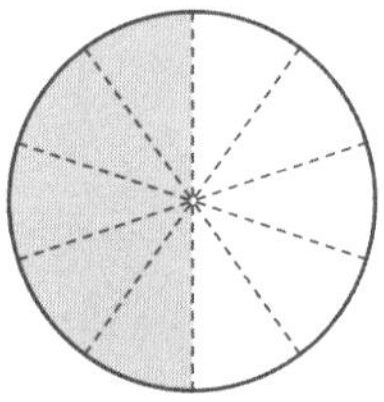

❷ 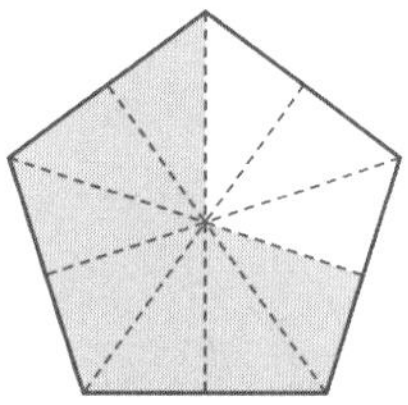

❸ 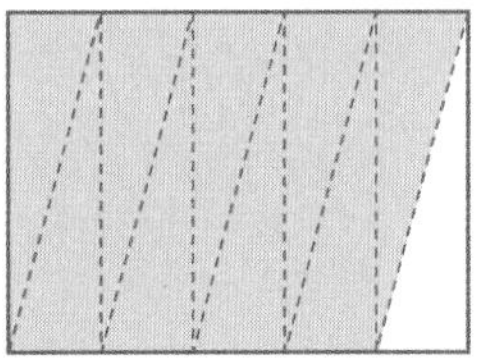

❹ 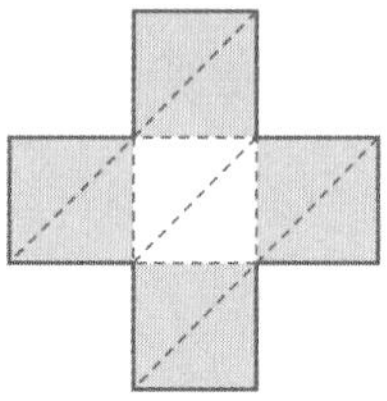

❺ 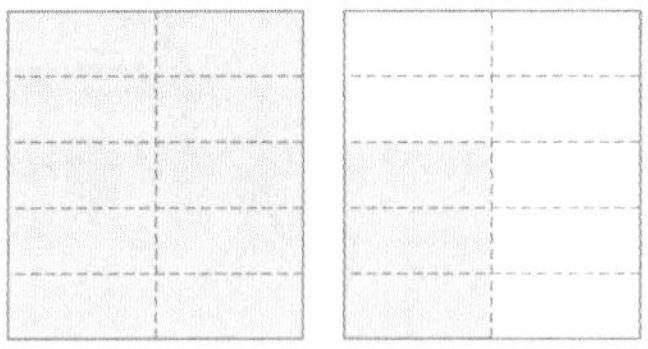

❻ 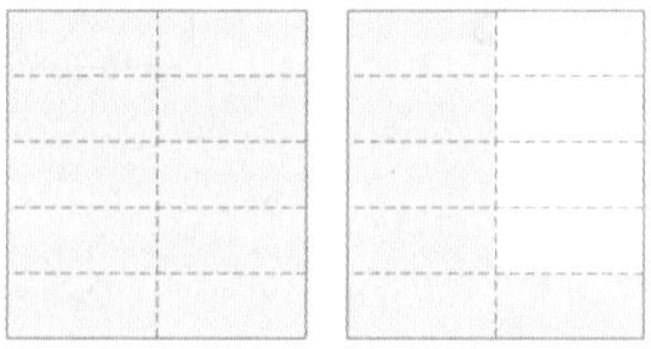

❼ 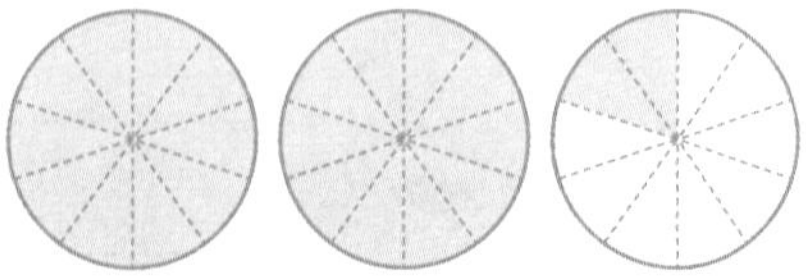

❽ 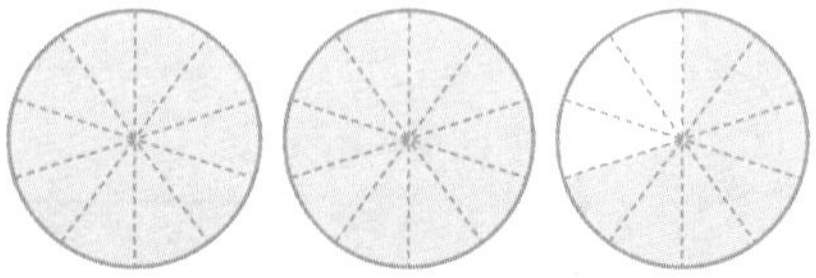

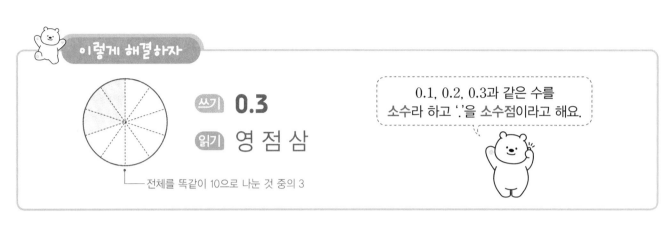

 □ 안에 알맞은 수를 써넣으세요.

⑨ 0.1이 2개인 수 ➡ ☐

⑩ 0.1이 6개인 수 ➡ ☐

⑪ 0.1이 9개인 수 ➡ ☐

⑫ 0.1이 14개인 수 ➡ ☐

⑬ 0.1이 21개인 수 ➡ ☐

⑭ 0.1이 39개인 수 ➡ ☐

⑮ 0.1이 45개인 수 ➡ ☐

⑯ 0.1이 68개인 수 ➡ ☐

⑰ 0.3 ➡ 0.1이 ☐ 개인 수

⑱ 0.5 ➡ 0.1이 ☐ 개인 수

⑲ 0.8 ➡ 0.1이 ☐ 개인 수

⑳ 1.9 ➡ 0.1이 ☐ 개인 수

㉑ 3.7 ➡ 0.1이 ☐ 개인 수

㉒ 5.2 ➡ 0.1이 ☐ 개인 수

㉓ 6.1 ➡ 0.1이 ☐ 개인 수

㉔ 7.4 ➡ 0.1이 ☐ 개인 수

4

분수와 소수

159

소수 알아보기

🐻📖 색칠한 부분을 소수로 쓰고 읽어 보세요.

1

쓰기 _____

읽기 _____

2

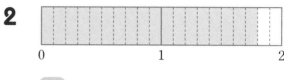

쓰기 _____

읽기 _____

🐻📖 ☐ 안에 알맞은 수를 써넣으세요.

3

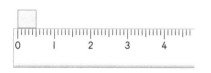

5 mm = ☐ cm

1 mm는
0.1 cm예요.

4

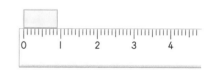

9 mm = ☐ cm

5

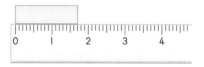

1 cm 7 mm = ☐ cm

6

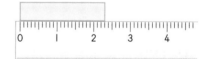

2 cm 3 mm = ☐ cm

7 4 mm = ☐ cm

8 8 mm = ☐ cm

9 25 mm = ☐ cm

10 32 mm = ☐ cm

11 5 cm 6 mm = ☐ cm

12 8 cm 9 mm = ☐ cm

생활 속 문제

🐻 책상 위에 있는 물건의 길이는 몇 cm인지 소수로 나타내어 보세요.

13

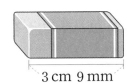

3 cm 9 mm

[   ] cm

14

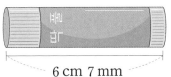

6 cm 7 mm

[   ] cm

15

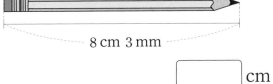

8 cm 3 mm

[   ] cm

16

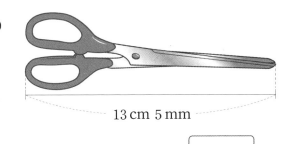

13 cm 5 mm

[   ] cm

4

분수와 소수

문장 읽고 문제 해결하기

161

17

2와 0.8만큼인 수를 소수로 나타내면?

답 _____

18

7과 0.3만큼인 수를 소수로 나타내면?

답 _____

19

리본의 길이가 5 cm보다 3 mm 더 길 때, 리본의 길이는 몇 cm인지 소수로 나타내면?

5 cm [   ] mm = [   ] cm

20

끈의 길이가 9 cm보다 2 mm 더 길 때, 끈의 길이는 몇 cm인지 소수로 나타내면?

9 cm [   ] mm = [   ] cm

4 일차

소수의 크기 비교

 이렇게 해결하자

- 소수점 왼쪽에 있는 수의 크기가 다른 경우

$$\underline{1}.6 < \underline{2}.3$$
$$\underline{\quad}_{1<2}\underline{\quad}$$

> 소수점 왼쪽에 있는 수의 크기가 큰 소수가 더 커요.

- 소수점 왼쪽에 있는 수의 크기가 같은 경우

$$2.\underline{7} > 2.\underline{4}$$
$$\underline{\quad}_{7>4}\underline{\quad}$$

> 소수점 오른쪽에 있는 수의 크기가 큰 소수가 더 커요.

 두 소수의 크기를 비교하여 ○ 안에 >, =, <를 알맞게 써넣으세요.

1 0.1 ◯ 0.3

2 0.5 ◯ 0.2

3 0.9 ◯ 0.5

4 0.6 ◯ 0.4

5 0.8 ◯ 0.7

6 0.2 ◯ 0.7

7 1.7 ◯ 1.5

8 2.1 ◯ 1.8

9 2.4 ◯ 3.1

10 4.3 ◯ 4.9

11 5.1 ◯ 3.5

12 7.4 ◯ 7.2

4

분수와 소수

⑬ 2.8 ◯ 2.7

⑭ 5.2 ◯ 5.3

⑮ 4.7 ◯ 4.9

⑯ 6.5 ◯ 6.1

⑰ 7.9 ◯ 8.2

⑱ 9.5 ◯ 9.4

⑲ 0.3 ◯ 0.1이 3개인 수

⑳ 0.5 ◯ 0.1이 4개인 수

㉑ 0.8 ◯ 0.1이 6개인 수

㉒ 0.4 ◯ 0.1이 7개인 수

㉓ 3.6 ◯ 0.1이 33개인 수

㉔ 6.1 ◯ 0.1이 57개인 수

㉕ 1.2 ◯ 0.1이 16개인 수

㉖ 2.5 ◯ 0.1이 25개인 수

㉗ 5.4 ◯ 0.1이 48개인 수

㉘ 6.3 ◯ 0.1이 64개인 수

소수의 크기 비교

🐻 소수의 크기를 비교하여 빈칸에 더 큰 수를 써넣으세요.

1
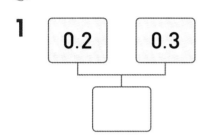

2
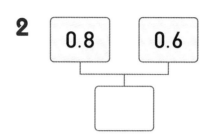

3
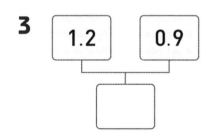

4
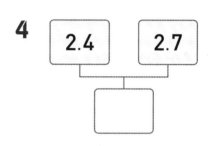

5
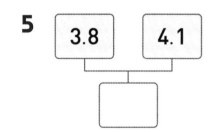

6
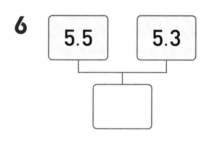

🐻 ☐ 안에 들어갈 수 있는 수를 모두 찾아 ◯표 하세요.

7 　0.☐ < 0.4

(1, 2, 3, 4, 5, 6, 7, 8, 9)

8 　0.7 < 0.☐

(1, 2, 3, 4, 5, 6, 7, 8, 9)

9 　☐.2 < 5.6

(1, 2, 3, 4, 5, 6, 7, 8, 9)

10 　3.6 < 3.☐

(1, 2, 3, 4, 5, 6, 7, 8, 9)

생활 속 문제

 집에서 더 가까운 곳을 찾아 ○표 하세요.

11

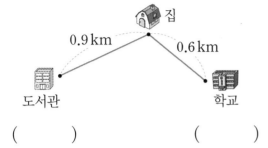

(　) 　 　 (　 　)

12

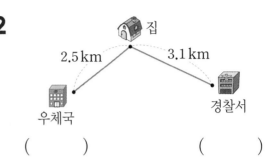

(　) 　 　 (　 　)

13

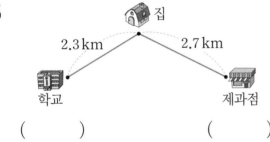

(　) 　 　 (　)

14

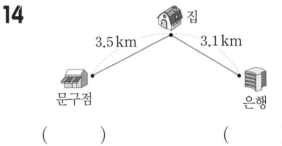

(　) 　 　 (　)

문장 읽고 문제 해결하기

15 　 0.9와 0.7 중 더 큰 수는?

0.9 ◯ 0.7 → [　]

16 　 4.5와 4.7 중 더 작은 수는?

4.5 ◯ 4.7 → [　]

17 파랑 끈 0.5 m와 노랑 끈 0.8 m 중 더 긴 끈은?

0.5 ◯ 0.8 → [　]

18 14.8 cm짜리 연필과 15.3 cm짜리 볼펜 중 더 짧은 학용품은?

14.8 ◯ 15.3 → [　]

 색칠한 부분을 분수로 나타내어 보세요.

❶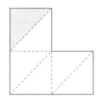

❷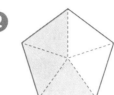

❸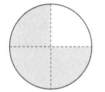

❹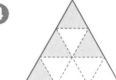

❺

❻

🐻 그림을 보고 ☐ 안에 알맞은 소수를 써넣으세요.

❼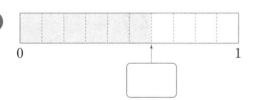

❽

❾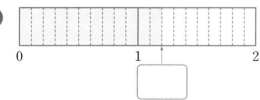

❿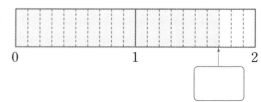

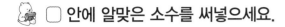 ☐ 안에 알맞은 소수를 써넣으세요.

⑪ **0.1**이 **8**개인 수 ➡ ☐

⑫ **0.1**이 **23**개인 수 ➡ ☐

⑬ **32** mm = ☐ cm

⑭ **27** mm = ☐ cm

⑮ **6** cm **4** mm = ☐ cm

⑯ **7** cm **1** mm = ☐ cm

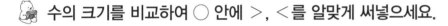 수의 크기를 비교하여 ◯ 안에 >, <를 알맞게 써넣으세요.

⑰ $\dfrac{6}{7}$ ◯ $\dfrac{5}{7}$

⑱ $\dfrac{3}{11}$ ◯ $\dfrac{7}{11}$

⑲ $\dfrac{8}{15}$ ◯ $\dfrac{10}{15}$

⑳ $\dfrac{1}{5}$ ◯ $\dfrac{1}{3}$

㉑ $\dfrac{1}{7}$ ◯ $\dfrac{1}{9}$

㉒ $\dfrac{1}{11}$ ◯ $\dfrac{1}{14}$

㉓ 0.8 ◯ 0.5

㉔ 1.8 ◯ 2.3

㉕ 4.5 ◯ 4.3

제한 시간 안에 정확하게
모두 풀었다면 여러분은 진정한 **계산왕!**

4

분수와 소수

167

문장제 문제 도전하기

1 $\dfrac{5}{8}$ ◯ $\dfrac{3}{8}$ → 피자 빵을 똑같이 **8**조각으로 나누어 먹고 남은 것이 민수는 전체의 $\dfrac{5}{8}$ 만큼, 지호는 전체의 $\dfrac{3}{8}$ 만큼입니다. 피자를 더 많이 남긴 사람은 누구일까요?

수의 크기 비교가 실생활에서 어떤 상황에 이용될까요?

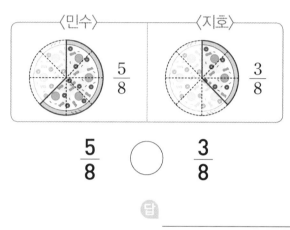

$\dfrac{5}{8}$ ◯ $\dfrac{3}{8}$

답 _____

2 **0.4** ◯ **0.7** → 지호네 집에서 병원까지는 **0.4** km이고 학교까지는 **0.7** km입니다. 지호네 집에서 더 가까운 곳은 어디일까요?

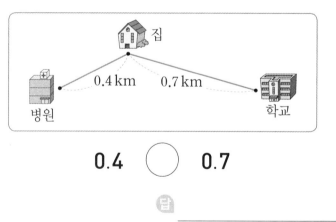

0.4 ◯ **0.7**

답 _____

문장을 읽고 수의 크기를 바르게 비교하여 답을 구해 보자!

3 초콜릿을 똑같이 **10**조각으로 나누어 먹고 남은 것이 소미는 전체의 $\dfrac{3}{10}$(　)만큼,

진호는 전체의 $\dfrac{4}{10}$(　)입니다. 초콜릿을 더 많이 남긴 사람은 누구일까요?

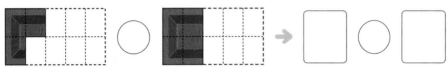

답 _____

4 배(　)의 무게는 **0.8** kg이고, 사과(　)의 무게는 **0.7** kg입니다.

배와 사과 중 어느 것이 더 무거울까요?

답 _____

5 색연필(　)의 길이는 **13.8** cm이고 칫솔(　)의 길이는 **16.5** cm입니다.

색연필과 칫솔 중 어느 것의 길이가 더 짧을까요?

답 _____

4

분수와 소수

169

창의·융합·코딩·도전하기

우유를 가장 많이 짠 모둠은?

융합 1 목장에서 우유 짜는 체험을 했습니다. 우유를 가장 많이 짠 모둠을 구하세요.

각 모둠이 짠 우유의 양을 소수로 나타내어 봐요.

1모둠	2모둠	3모둠

☐ 통	☐ 통	☐ 통

답 _____ 모둠

▶ 정답과 해설 24쪽

창의 2 보기 와 같이 □ 안에 있는 분수가 되도록 길을 선으로 이어 보세요.

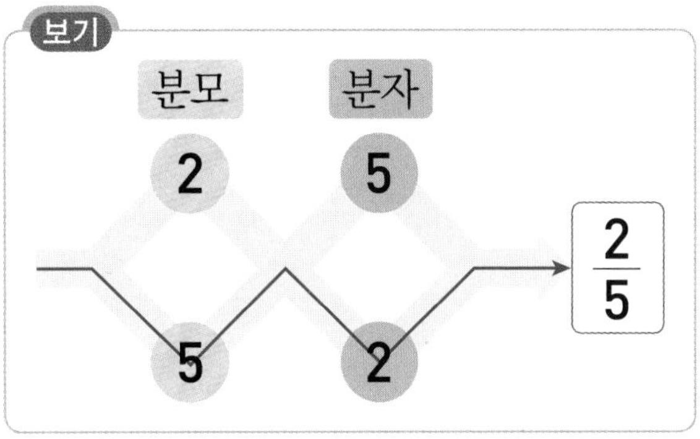

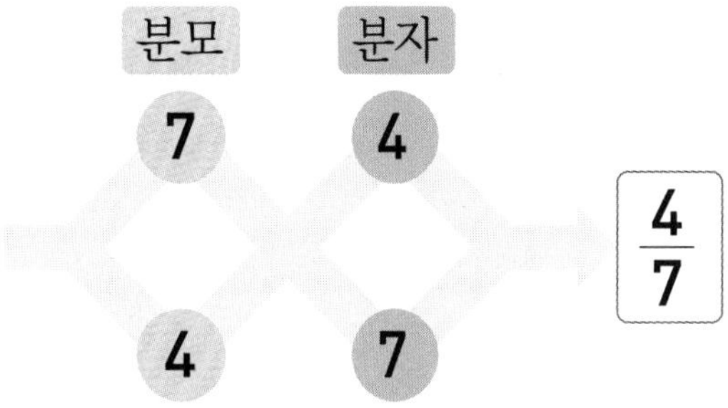

융합 3 다음은 이집트의 호루스의 눈입니다. 호루스의 눈에 적힌 단위분수 중 가장 큰 수와 가장 작은 수를 구하세요.

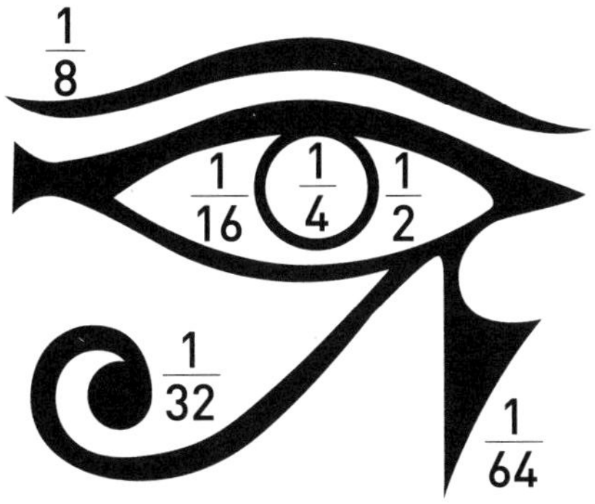

▲ 호루스의 눈

호루스 신은 고대 이집트의 태양신으로 왕권을 상징해요.

답 가장 큰 수: ____________, 가장 작은 수: ____________

정답과 해설

1 일차   기초 계산 연습   6~7쪽

① 525   ② 798   ③ 857
④ 746   ⑤ 589   ⑥ 965
⑦ 658   ⑧ 864   ⑨ 639
⑩ 789   ⑪ 967   ⑫ 987
⑬ 468   ⑭ 957   ⑮ 876

⑯
```
    6 2 4 , 798
  + 1 7 4
    7 9 8
```
⑰
```
    2 1 4 , 635
  + 4 2 1
    6 3 5
```
⑱
```
    5 0 1 , 915
  + 4 1 4
    9 1 5
```
⑲
```
    2 5 1 , 982
  + 7 3 1
    9 8 2
```
⑳
```
    8 4 2 , 994
  + 1 5 2
    9 9 4
```

1 일차   플러스 계산 연습   8~9쪽

1 687   **2** 896   **3** 396
4 976   **5** 988   **6** 769
7 578   **8** 946   **9** 689
10 587   **11** 678   **12** 889
13 676   **14** 365   **15** 213, 887
16 425, 577   **17** 314, 568   **18** 537, 989
19 217, 569   **20** 165, 578

2 일차   기초 계산 연습   10~11쪽

① 392   ② 872   ③ 574
④ 697   ⑤ 786   ⑥ 596
⑦ 984   ⑧ 780   ⑨ 894
⑩ 671   ⑪ 671   ⑫ 957
⑬ 794   ⑭ 890   ⑮ 675

⑯
```
    6 1 5 , 864
  + 2 4 9
    8 6 4
```
⑰
```
    1 3 9 , 451
  + 3 1 2
    4 5 1
```
⑱
```
    2 4 5 , 771
  + 5 2 6
    7 7 1
```
⑲
```
    8 6 8 , 974
  + 1 0 6
    9 7 4
```
⑳
```
    2 4 5 , 490
  + 2 4 5
    4 9 0
```

2 일차   플러스 계산 연습   12~13쪽

1 591   **2** 885   **3** 653
4 880   **5** 775   **6** 460
7 461   **8** 596   **9** 563
10 673   **11** 773   **12** 653
13 590   **14** 694   **15** 317, 655
16 418, 760   **17** 159, 396   **18** 457, 875
19 108, 281   **20** 238, 596

1
```
    1
    1 5 6
  + 4 3 5
    5 9 1
```
2
```
    1
    5 2 7
  + 3 5 8
    8 8 5
```
7
```
    1
    3 1 2
  + 1 4 9
    4 6 1
```
8
```
    1
    1 3 8
  + 4 5 8
    5 9 6
```
15
```
    1
    3 3 8
  + 3 1 7
    6 5 5
```
16
```
    1
    4 1 8
  + 3 4 2
    7 6 0
```
19
```
    1
    1 7 3
  + 1 0 8
    2 8 1
```
20
```
    1
    2 3 8
  + 3 5 8
    5 9 6
```

정답과 해설

3 일차　기초 계산 연습　14~15쪽

① 416　② 548　③ 705
④ 449　⑤ 725　⑥ 727
⑦ 518　⑧ 929　⑨ 986
⑩ 956　⑪ 908　⑫ 566
⑬ 918　⑭ 539　⑮ 868

⑯
```
    3 5 3 , 727
  + 3 7 4
    7 2 7
```
⑰
```
    5 4 4 , 727
  + 1 8 3
    7 2 7
```

⑱
```
    1 6 7 , 428
  + 2 6 1
    4 2 8
```
⑲
```
    6 9 1 , 935
  + 2 4 4
    9 3 5
```

⑳
```
    3 6 6 , 548
  + 1 8 2
    5 4 8
```

4 일차　기초 계산 연습　18~19쪽

① 1486　② 1469　③ 1374
④ 1084　⑤ 1379　⑥ 1179
⑦ 1776　⑧ 1278　⑨ 1188
⑩ 1365　⑪ 1068　⑫ 1147
⑬ 1686　⑭ 1084　⑮ 1327

⑯
```
    6 1 5 , 1559
  + 9 4 4
  1 5 5 9
```
⑰
```
    9 3 1 , 1243
  + 3 1 2
  1 2 4 3
```

⑱
```
    3 4 2 , 1068
  + 7 2 6
  1 0 6 8
```
⑲
```
    8 6 8 , 1469
  + 6 0 1
  1 4 6 9
```

⑳
```
    5 4 7 , 1258
  + 7 1 1
  1 2 5 8
```

3 일차　플러스 계산 연습　16~17쪽

1 735　2 619　3 838
4 807　5 532　6 618
7 808　8 836　9 819
10 529　11 737　12 548
13 868　14 416　15 452, 945
16 375, 537　17 145, 527　18 561, 835
19 253, 634　20 285, 409

1
```
   1
   3 7 2
 + 3 6 3
   7 3 5
```
2
```
   1
   4 2 6
 + 1 9 3
   6 1 9
```

7
```
   1
   3 8 7
 + 4 2 1
   8 0 8
```
8
```
   1
   5 9 1
 + 2 4 5
   8 3 6
```

13
```
   1
   4 9 3
 + 3 7 5
   8 6 8
```
14
```
   1
   2 5 4
 + 1 6 2
   4 1 6
```

19
```
   1
   3 8 1
 + 2 5 3
   6 3 4
```
20
```
   1
   2 8 5
 + 1 2 4
   4 0 9
```

4 일차　플러스 계산 연습　20~21쪽

1 1377　2 1585　3 1035
4 1857　5 1057　6 1289
7 1472　8 1395　9 1658
10 1286　11 1269　12 1365
13 1338　14 1287　15 905, 1275
16 515, 1047　17 543, 1155　18 307, 1088
19 124, 1069　20 621, 1162

1
```
   6 4 2
 + 7 3 5
 1 3 7 7
```
2
```
   7 7 3
 + 8 1 2
 1 5 8 5
```

7
```
   5 3 1
 + 9 4 1
 1 4 7 2
```
8
```
   8 1 3
 + 5 8 2
 1 3 9 5
```

13
```
   6 2 5
 + 7 1 3
 1 3 3 8
```
14
```
   8 3 5
 + 4 5 2
 1 2 8 7
```

19
```
   9 4 5
 + 1 2 4
 1 0 6 9
```
20
```
   6 2 1
 + 5 4 1
 1 1 6 2
```

5 일차 기초 계산 연습 · 22~23쪽

① 911　**②** 931　**③** 542
④ 731　**⑤** 413　**⑥** 931
⑦ 614　**⑧** 822　**⑨** 602
⑩ 711　**⑪** 570　**⑫** 410
⑬ 981　**⑭** 627　**⑮** 804

⑯
```
    2 8 3 , 770
 + 4 8 7
    7 7 0
```
⑰
```
    2 7 5 , 543
 + 2 6 8
    5 4 3
```

⑱
```
    4 3 6 , 721
 + 2 8 5
    7 2 1
```
⑲
```
    4 4 6 , 802
 + 3 5 6
    8 0 2
```

⑳
```
    1 4 8 , 524
 + 3 7 6
    5 2 4
```

6 일차 기초 계산 연습 · 26~27쪽

① 1535　**②** 1525　**③** 1308
④ 1327　**⑤** 1413　**⑥** 1009
⑦ 1442　**⑧** 1067　**⑨** 1474
⑩ 1861　**⑪** 1094　**⑫** 1173
⑬ 1470　**⑭** 1678　**⑮** 1292

⑯
```
    9 2 2 , 1815
 + 8 9 3
  1 8 1 5
```
⑰
```
    5 7 2 , 1254
 + 6 8 2
  1 2 5 4
```

⑱
```
    6 3 4 , 1509
 + 8 7 5
  1 5 0 9
```
⑲
```
    8 3 6 , 1373
 + 5 3 7
  1 3 7 3
```

⑳
```
    8 2 7 , 1570
 + 7 4 3
  1 5 7 0
```

5 일차 플러스 계산 연습 · 24~25쪽

1 625　**2** 940　**3** 615
4 624　**5** 940　**6** 643
7 451　**8** 542　**9** 955
10 733　**11** 642　**12** 810
13 605　**14** 624　**15** 288, 716
16 276, 760　**17** 155, 411　**18** 249, 624
19 294, 751　**20** 176, 422

1
```
   1 1
   1 2 8
 + 4 9 7
   6 2 5
```
2
```
   1 1
   6 5 3
 + 2 8 7
   9 4 0
```

7
```
   1 1
   1 9 4
 + 2 5 7
   4 5 1
```
8
```
   1 1
   3 6 8
 + 1 7 4
   5 4 2
```

14
```
   1 1
   3 5 9
 + 2 6 5
   6 2 4
```
16
```
   1 1
   2 7 6
 + 4 8 4
   7 6 0
```

19
```
   1 1
   4 5 7
 + 2 9 4
   7 5 1
```
20
```
   1 1
   1 7 6
 + 2 4 6
   4 2 2
```

6 일차 플러스 계산 연습 · 28~29쪽

1 1145　**2** 1608　**3** 1248
4 1182　**5** 1495　**6** 1084
7 1309　**8** 1607　**9** 1145
10 1293　**11** 1170　**12** 1185
13 1145　**14** 1196　**15** 524, 1017
16 652, 1309　**17** 483, 1235　**18** 483, 1047
19 618, 1150　**20** 947, 1372

1
```
     1
   8 9 4
 + 2 5 1
 1 1 4 5
```
2
```
     1
   6 8 3
 + 9 2 5
 1 6 0 8
```

10
```
     1
   3 8 5
 + 9 0 8
 1 2 9 3
```
11
```
     1
   4 2 7
 + 7 4 3
 1 1 7 0
```

15
```
     1
   4 9 3
 + 5 2 4
 1 0 1 7
```
16
```
     1
   6 5 2
 + 6 5 7
 1 3 0 9
```

19
```
     1
   6 1 8
 + 5 3 2
 1 1 5 0
```
20
```
     1
   4 2 5
 + 9 4 7
 1 3 7 2
```

정답과 해설

7 일차 기초 계산 연습 30~31쪽

① 1045 ② 1253 ③ 1136
④ 1203 ⑤ 1102 ⑥ 1428
⑦ 1612 ⑧ 1610 ⑨ 1953
⑩ 1324 ⑪ 1043 ⑫ 1350
⑬ 1411 ⑭ 1436 ⑮ 1320

⑯
```
    7 5 8
  + 6 9 4
  1 4 5 2
```
, 1452

⑰
```
    6 4 8
  + 9 7 9
  1 6 2 7
```
, 1627

⑱
```
    8 5 9
  + 3 6 4
  1 2 2 3
```
, 1223

⑲
```
    3 9 5
  + 9 2 6
  1 3 2 1
```
, 1321

⑳
```
    5 7 4
  + 7 7 9
  1 3 5 3
```
, 1353

7 일차 플러스 계산 연습 32~33쪽

1 1113 2 1221 3 1826
4 1400 5 1320 6 1504
7 1323 8 1230 9 1311
10 1312 11 1252 12 1342
13 1022 14 1131 15 389, 1046
16 725, 1212 17 687, 1315 18 569, 1041
19 798, 1223 20 853, 1002

1
```
  1 1
    2 4 7
  + 8 6 6
  1 1 1 3
```

2
```
  1 1
    9 3 7
  + 2 8 4
  1 2 2 1
```

5
```
  1 1
    5 5 8
  + 7 6 2
  1 3 2 0
```

6
```
  1 1
    6 0 8
  + 8 9 6
  1 5 0 4
```

7
```
  1 1
    7 9 6
  + 5 2 7
  1 3 2 3
```

8
```
  1 1
    5 8 7
  + 6 4 3
  1 2 3 0
```

13
```
  1 1
    8 5 4
  + 1 6 8
  1 0 2 2
```

14
```
  1 1
    6 3 6
  + 4 9 5
  1 1 3 1
```

15
```
  1 1
    6 5 7
  + 3 8 9
  1 0 4 6
```

16
```
  1 1
    7 2 5
  + 4 8 7
  1 2 1 2
```

19
```
  1 1
    4 2 5
  + 7 9 8
  1 2 2 3
```

20
```
    8 5 3
  + 1 4 9
  1 0 0 2
```

평가 SPEED 연산력 TEST 34~35쪽

① 759 ② 663 ③ 592
④ 1268 ⑤ 423 ⑥ 1043
⑦ 1185 ⑧ 1131 ⑨ 1350
⑩ 459 ⑪ 847 ⑫ 445
⑬ 1366 ⑭ 1072 ⑮ 1701
⑯ 864 ⑰ 638 ⑱ 684
⑲ 822 ⑳ 1890 ㉑ 861
㉒ 1142 ㉓ 754 ㉔ 1317
㉕ 1040

⑪
```
  1
    4 9 3
  + 3 5 4
    8 4 7
```

⑫
```
      1
    3 1 9
  + 1 2 6
    4 4 5
```

⑭
```
    8 0 9
  + 2 6 3
  1 0 7 2
```

⑮
```
  1 1
    9 5 2
  + 7 4 9
  1 7 0 1
```

⑱
```
    4 2 8
  + 2 5 6
    6 8 4
```

⑲
```
  1 1
    3 9 5
  + 4 2 7
    8 2 2
```

⑳
```
      1
    9 7 5
  + 9 1 5
  1 8 9 0
```

㉑
```
  1 1
    6 8 9
  + 1 7 2
    8 6 1
```

㉒
```
  1 1
    5 7 4
  + 5 6 8
  1 1 4 2
```

㉓
```
  1 1
    1 8 7
  + 5 6 7
    7 5 4
```

㉔
```
    1
    4 6 5
  + 8 5 2
  1 3 1 7
```

㉕
```
  1 1
    5 9 2
  + 4 4 8
  1 0 4 0
```

4

⑧ 일차 기초 계산 연습 36~37쪽

❶ 301	❷ 370	❸ 113
❹ 331	❺ 108	❻ 300
❼ 621	❽ 620	❾ 111
❿ 323	⓫ 531	⓬ 603
⓭ 171	⓮ 231	⓯ 130

⓰
```
    9 5 7 . 552
  - 4 0 5
    5 5 2
```
⓱
```
    7 5 3 . 332
  - 4 2 1
    3 3 2
```

⓲
```
    6 7 8 . 64
  - 6 1 4
      6 4
```
⓳
```
    7 5 1 . 520
  - 2 3 1
    5 2 0
```

⓴
```
    8 5 9 . 706
  - 1 5 3
    7 0 6
```

⑧ 일차 플러스 계산 연습 38~39쪽

1 231	2 671	3 134
4 334	5 362	6 364
7 332	8 340	9 421
10 602	11 450	12 63
13 453	14 538	15 657, 132
16 251, 101	17 321, 427	18 497, 354
19 215, 361	20 795, 433	

⑨ 일차 기초 계산 연습 40~41쪽

❶ 259	❷ 626	❸ 246
❹ 467	❺ 405	❻ 454
❼ 707	❽ 438	❾ 456
❿ 635	⓫ 503	⓬ 525
⓭ 459	⓮ 27	⓯ 453

⓰
```
    6 9 5 . 459
  - 2 3 6
    4 5 9
```
⓱
```
    5 3 0 . 218
  - 3 1 2
    2 1 8
```

⓲
```
    6 4 2 . 436
  - 2 0 6
    4 3 6
```
⓳
```
    8 6 3 . 757
  - 1 0 6
    7 5 7
```

⓴
```
    5 4 1 . 305
  - 2 3 6
    3 0 5
```

⑨ 일차 플러스 계산 연습 42~43쪽

1 117	2 207	3 529
4 602	5 533	6 46
7 405	8 127	9 214
10 348	11 432	12 636
13 127	14 206	15 278, 114
16 580, 155	17 117, 615	18 795, 377
19 105, 266	20 482, 226	

1
```
      2 10
    4 3 5
  - 3 1 8
    1 1 7
```
2
```
      1 10
    5 2 3
  - 3 1 6
    2 0 7
```

7
```
      1 10
    8 2 2
  - 4 1 7
    4 0 5
```
8
```
      7 10
    5 8 4
  - 4 5 7
    1 2 7
```

15
```
      8 10
    3 9 2
  - 2 7 8
    1 1 4
```
16
```
      7 10
    5 8 0
  - 4 2 5
    1 5 5
```

19
```
      6 10
    3 7 1
  - 1 0 5
    2 6 6
```
20
```
      7 10
    4 8 2
  - 2 5 6
    2 2 6
```

⑩ 일차 기초 계산 연습 44~45쪽

❶ 362	❷ 674	❸ 460
❹ 253	❺ 185	❻ 71
❼ 642	❽ 151	❾ 386
❿ 590	⓫ 566	⓬ 72
⓭ 430	⓮ 163	⓯ 84

⓰
```
    8 3 5 . 461
  - 3 7 4
    4 6 1
```
⓱
```
    5 4 4 . 361
  - 1 8 3
    3 6 1
```

⓲
```
    7 1 6 . 455
  - 2 6 1
    4 5 5
```
⓳
```
    9 1 6 . 672
  - 2 4 4
    6 7 2
```

⓴
```
    6 3 6 . 454
  - 1 8 2
    4 5 4
```

정답과 해설

10 일차 플러스 계산 연습 — 46~47쪽

1 464	**2** 431	**3** 152
4 341	**5** 564	**6** 554
7 471	**8** 194	**9** 80
10 193	**11** 92	**12** 464
13 164	**14** 290	**15** 493, 135
16 785, 191	**17** 145, 692	**18** 546, 272
19 165, 450	**20** 508, 153	

1
$$\begin{array}{r} {}^{6}\!\!\!\not{7}\ {}^{10}\!\!\!\not{3}\ 8 \\ -\ 2\ 7\ 4 \\ \hline 4\ 6\ 4 \end{array}$$

2
$$\begin{array}{r} {}^{5}\!\!\!\not{6}\ {}^{10}\!\!\!\not{2}\ 4 \\ -\ 1\ 9\ 3 \\ \hline 4\ 3\ 1 \end{array}$$

7
$$\begin{array}{r} {}^{8}\!\!\!\not{9}\ {}^{10}\!\!\!\not{6}\ 3 \\ -\ 4\ 9\ 2 \\ \hline 4\ 7\ 1 \end{array}$$

8
$$\begin{array}{r} {}^{3}\!\!\!\not{4}\ {}^{10}\!\!\!\not{7}\ 4 \\ -\ 2\ 8\ 0 \\ \hline 1\ 9\ 4 \end{array}$$

13
$$\begin{array}{r} {}^{3}\!\!\!\not{4}\ {}^{10}\!\!\!\not{3}\ 9 \\ -\ 2\ 7\ 5 \\ \hline 1\ 6\ 4 \end{array}$$

14
$$\begin{array}{r} {}^{7}\!\!\!\not{8}\ {}^{10}\!\!\!\not{1}\ 3 \\ -\ 5\ 2\ 3 \\ \hline 2\ 9\ 0 \end{array}$$

19
$$\begin{array}{r} {}^{5}\!\!\!\not{6}\ {}^{10}\!\!\!\not{1}\ 5 \\ -\ 1\ 6\ 5 \\ \hline 4\ 5\ 0 \end{array}$$

20
$$\begin{array}{r} {}^{4}\!\!\!\not{5}\ {}^{10}\!\!\!\not{0}\ 8 \\ -\ 3\ 5\ 5 \\ \hline 1\ 5\ 3 \end{array}$$

11 일차 기초 계산 연습 — 48~49쪽

❶ 537	❷ 476	❸ 264
❹ 128	❺ 85	❻ 368
❼ 417	❽ 241	❾ 233
❿ 328	⓫ 377	⓬ 56
⓭ 123	⓮ 227	⓯ 698

⓰
$$\begin{array}{r} 7\ 0\ 5 \\ -\ 1\ 6\ 7 \\ \hline 5\ 3\ 8 \end{array}$$, 538

⓱
$$\begin{array}{r} 8\ 6\ 1 \\ -\ 7\ 9\ 3 \\ \hline 6\ 8 \end{array}$$, 68

⓲
$$\begin{array}{r} 5\ 3\ 6 \\ -\ 2\ 8\ 9 \\ \hline 2\ 4\ 7 \end{array}$$, 247

⓳
$$\begin{array}{r} 8\ 4\ 6 \\ -\ 3\ 5\ 8 \\ \hline 4\ 8\ 8 \end{array}$$, 488

⓴
$$\begin{array}{r} 7\ 4\ 0 \\ -\ 4\ 7\ 6 \\ \hline 2\ 6\ 4 \end{array}$$, 264

11 일차 플러스 계산 연습 — 50~51쪽

1 374	**2** 384	**3** 199
4 173	**5** 353	**6** 77
7 277	**8** 485	**9** 276
10 178	**11** 367	**12** 265
13 238	**14** 269	**15** 185, 155
16 625, 258	**17** 375, 375	**18** 328, 179
19 176, 338	**20** 820, 278	

1
$$\begin{array}{r} {}^{5}\!\!\!\not{6}\ {}^{15}\!\!\!\not{6}\ {}^{10}\!\!\!\not{1} \\ -\ 2\ 8\ 7 \\ \hline 3\ 7\ 4 \end{array}$$

2
$$\begin{array}{r} {}^{4}\!\!\!\not{5}\ {}^{11}\!\!\!\not{2}\ {}^{10}\!\!\!\not{2} \\ -\ 1\ 3\ 8 \\ \hline 3\ 8\ 4 \end{array}$$

5
$$\begin{array}{r} {}^{5}\!\!\!\not{6}\ {}^{9}\!\!\!\not{0}\ {}^{10}\!\!\!\not{0} \\ -\ 2\ 4\ 7 \\ \hline 3\ 5\ 3 \end{array}$$

6
$$\begin{array}{r} {}^{7}\!\!\!\not{8}\ {}^{12}\!\!\!\not{3}\ {}^{10}\!\!\!\not{2} \\ -\ 7\ 5\ 5 \\ \hline 7\ 7 \end{array}$$

7
$$\begin{array}{r} {}^{5}\!\!\!\not{6}\ {}^{14}\!\!\!\not{5}\ {}^{10}\!\!\!\not{1} \\ -\ 3\ 7\ 4 \\ \hline 2\ 7\ 7 \end{array}$$

8
$$\begin{array}{r} {}^{7}\!\!\!\not{8}\ {}^{10}\!\!\!\not{1}\ {}^{10}\!\!\!\not{3} \\ -\ 3\ 2\ 8 \\ \hline 4\ 8\ 5 \end{array}$$

13
$$\begin{array}{r} {}^{4}\!\!\!\not{5}\ {}^{12}\!\!\!\not{3}\ {}^{10}\!\!\!\not{6} \\ -\ 2\ 9\ 8 \\ \hline 2\ 3\ 8 \end{array}$$

14
$$\begin{array}{r} {}^{6}\!\!\!\not{7}\ {}^{13}\!\!\!\not{4}\ {}^{10}\!\!\!\not{3} \\ -\ 4\ 7\ 4 \\ \hline 2\ 6\ 9 \end{array}$$

19
$$\begin{array}{r} {}^{4}\!\!\!\not{5}\ {}^{10}\!\!\!\not{1}\ {}^{10}\!\!\!\not{4} \\ -\ 1\ 7\ 6 \\ \hline 3\ 3\ 8 \end{array}$$

20
$$\begin{array}{r} {}^{7}\!\!\!\not{8}\ {}^{11}\!\!\!\not{2}\ {}^{10}\!\!\!\not{0} \\ -\ 5\ 4\ 2 \\ \hline 2\ 7\ 8 \end{array}$$

평가 SPEED 연산력 TEST — 52~53쪽

❶ 321	❷ 173	❸ 302
❹ 493	❺ 671	❻ 227
❼ 156	❽ 47	❾ 354
❿ 312	⓫ 524	⓬ 193
⓭ 479	⓮ 537	⓯ 332
⓰ 442	⓱ 228	⓲ 462
⓳ 188	⓴ 183	㉑ 329
㉒ 367	㉓ 178	㉔ 75
㉕ 377		

정답과 해설

⑧
```
    5 13 10
    6 4 4
  - 5 9 7
  ─────────
      4 7
```

⑨
```
    7 14 10
    8 5 2
  - 4 9 8
  ─────────
    3 5 4
```

⑫
```
    2 10
    3 1 9
  - 1 2 6
  ─────────
    1 9 3
```

⑬
```
    8 9 10
    9 0 4
  - 4 2 5
  ─────────
    4 7 9
```

⑭
```
    7 9 10
    8 0 0
  - 2 6 3
  ─────────
    5 3 7
```

⑮
```
    4 10
    5 1 7
  - 1 8 5
  ─────────
    3 3 2
```

⑱
```
    6 10
    7 1 8
  - 2 5 6
  ─────────
    4 6 2
```

⑲
```
    8 10
    3 9 5
  - 2 0 7
  ─────────
    1 8 8
```

⑳
```
    8 10
    9 7 4
  - 7 9 1
  ─────────
    1 8 3
```

㉑
```
    5 9 10
    6 0 0
  - 2 7 1
  ─────────
    3 2 9
```

㉒
```
    4 9 10
    5 0 3
  - 1 3 6
  ─────────
    3 6 7
```

㉓
```
    4 15 10
    5 6 3
  - 3 8 5
  ─────────
    1 7 8
```

㉔
```
    4 16 10
    5 7 1
  - 4 9 6
  ─────────
      7 5
```

㉕
```
    8 11 10
    9 2 0
  - 5 4 3
  ─────────
    3 7 7
```

2
```
    1 1
    4 2 7
  + 3 8 4
  ─────────
    8 1 1
```

3
```
    1
    5 7 5
  + 3 8 4
  ─────────
    9 5 9
```

5
```
    1
    3 4 9
  + 2 3 7
  ─────────
    5 8 6
```

6
```
    1 1
    2 5 8
  + 5 4 3
  ─────────
    8 0 1
```

8
```
    5 10
    6 2 5
  - 1 8 3
  ─────────
    4 4 2
```

9
```
    6 15 10
    7 6 5
  - 3 8 9
  ─────────
    3 7 6
```

11
```
    2 10
    6 3 4
  - 3 2 7
  ─────────
    3 0 7
```

12
```
    4 12 10
    5 3 0
  - 2 8 5
  ─────────
    2 4 5
```

특강 **창의·융합·코딩·도전하기** 58~59쪽

융합 **1** 245, 723 ; 245, 182, 427

코딩 **2** 278

창의 **3** 974 ; 382

융합 **1**
- 나비: 478마리, 매미: 245마리
  ➜ 478＋245＝723(마리)
- 매미: 245마리, 풍뎅이: 182마리
  ➜ 245＋182＝427(마리)

코딩 **2** 374＜652이므로 두 수의 차를 구합니다.
  ➜ 652－374＝278

창의 **3** 678＋296＝974
  678－296＝382

특강 **문장제 문제 도전하기** 54~57쪽

1 659 ; 146, 513, 659 ; 659

2 811 ; 427, 384, 811 ; 811

3 959 ; 575, 384, 959 ; 959

4 250, 513, 763

5 349, 237, 586

6 258, 543, 801

7 143 ; 359, 216, 143 ; 143

8 442 ; 625, 183, 442 ; 442

9 376 ; 765, 389, 376 ; 376

10 795, 145, 650

11 634, 327, 307

12 530, 285, 245

✳ 개념 ○✕ 퀴즈 정답

 ○   ✕

정답과 해설

정답과 해설

2 나눗셈과 곱셈

✳ 개념 ◯ ✕ 퀴즈

옳으면 ◯에, 틀리면 ✕에 ◯표 하세요.

$$14 \div 2 = 7$$

◯   ✕

정답은 13쪽에서 확인하세요.

---

❸ 과자 10개를 접시 2개에 똑같이 나누어 담으면 접시 1개에 과자를 5개씩 담을 수 있습니다.

❺ 15에서 5씩 3번 빼면 0이 됩니다.

❻ 18에서 9씩 2번 빼면 0이 됩니다.

❼ 18에서 3씩 6번 빼면 0이 됩니다.

---

① 일차 플러스 계산 연습   64~65쪽

1 4	**2** 5
3 9, 6	**4** 7, 7
5 7, 3	**6** 6, 5
7 6, 4	**8** 5, 7
9 48, 8, 6	**10** 45, 9, 5
11 4	**12** 9
13 5, 7	**14** 6, 8
15 6	**16** 8, 5
17 56, 7, 8	**18** 63, 9, 7

3 $54 - 9 - 9 - 9 - 9 - 9 - 9 = 0$
➡ $54 \div 9 = 6$

4 $49 - 7 - 7 - 7 - 7 - 7 - 7 - 7 = 0$
➡ $49 \div 7 = 7$

5 21에서 7씩 3번 빼면 0이 됩니다.

6 30에서 6씩 5번 빼면 0이 됩니다.

11 16 cm를 4도막으로 똑같이 나누어 자르면 한 도막은 $16 \div 4 = 4$ (cm)입니다.

12 63 cm를 7도막으로 똑같이 나누어 자르면 한 도막은 $63 \div 7 = 9$ (cm)입니다.

15 감자 30개를 5개씩 6번 덜어 내면 0이 되므로 6봉지가 됩니다.
$30 - 5 - 5 - 5 - 5 - 5 - 5 = 0$
➡ $30 \div 5 = 6$(봉지)

17 당근 56개를 7명이 똑같이 나누어 가지려면 한 명이 8개씩 가질 수 있습니다.
➡ $56 \div 7 = 8$(개)

---

① 일차 기초 계산 연습   62~63쪽

❶ 예 ♥♥♥♥♥♥ ; 6, 2, 3

❷ 예 ; 9, 3, 3

❸ 예 ; 10, 2, 5

❹ 예 ; 12, 3, 4

❺ 5, 5 ; 15, 5, 3	❻ 9 ; 18, 9, 2
❼ 3, 3 ; 18, 3, 6	❽ 8, 8 ; 24, 8, 3
❾ 5, 5 ; 20, 5, 4	❿ 4, 4 ; 16, 4, 4

❶ 과자 6개를 접시 2개에 똑같이 나누어 담으면 접시 1개에 과자를 3개씩 담을 수 있습니다.

❷ 과자 9개를 접시 3개에 똑같이 나누어 담으면 접시 1개에 과자를 3개씩 담을 수 있습니다.

② 일차 기초 계산 연습 66~67쪽

① 4 ; 2 ② 7 ; 3
③ 5 ; 4 ④ 8 ; 5
⑤ 8 ; 8, 6 ⑥ 4 ; 4, 7
⑦ 32, 4 ; 32, 8 ⑧ 63, 7 ; 63, 9
⑨ 7 ; 2 ⑩ 6 ; 3
⑪ 4 ; 6 ⑫ 9 ; 3
⑬ 5 ; 6, 30 ⑭ 4 ; 8, 32
⑮ 7 ; 6, 42 ⑯ 5 ; 9, 45
⑰ 8, 48 ; 8, 48 ⑱ 6, 54 ; 6, 54
⑲ 8, 72 ; 8, 72 ⑳ 7, 56 ; 7, 56

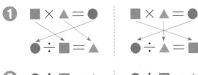
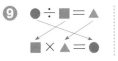

② 일차 플러스 계산 연습 68~69쪽

1 $16÷2=8$, $16÷8=2$
2 $28÷4=7$, $28÷7=4$
3 $54÷6=9$, $54÷9=6$
4 $72÷8=9$, $72÷9=8$
5 $35÷5=7$, $35÷7=5$
6 $36÷9=4$, $36÷4=9$
7 $3×7=21$, $7×3=21$
8 $2×9=18$, $9×2=18$
9 $8×5=40$, $5×8=40$
10 $9×6=54$, $6×9=54$
11 14 ; 14, 2 ; 14, 7
12 18 ; 18, 3 ; 18, 6
13 4, 20 ; 20, 4 ; 20, 4, 5
14 6, 24 ; 24, 6 ; 24, 6, 4
15 9, 36 ; 9 ; 9, 4
16 5, 40 ; 5 ; 5, 8

1
$2×8=16$ | $2×8=16$
$16÷2=8$ | $16÷8=2$

2

$4×7=28$ | $4×7=28$
$28÷4=7$ | $28÷7=4$

7

$21÷3=7$ | $21÷3=7$
$3×7=21$ | $7×3=21$

8

$18÷2=9$ | $18÷2=9$
$2×9=18$ | $9×2=18$

11

$7×2=14$ | $7×2=14$
$14÷7=2$ | $14÷2=7$

12

$6×3=18$ | $6×3=18$
$18÷6=3$ | $18÷3=6$

15

$4×9=36$ | $4×9=36$
$36÷4=9$ | $36÷9=4$

16

$8×5=40$ | $8×5=40$
$40÷8=5$ | $40÷5=8$

③ 일차 기초 계산 연습 70~71쪽

① 2 ② 6 ③ 9
④ 6 ⑤ 7 ⑥ 5
⑦ 8 ⑧ 4 ⑨ 8
⑩ 9 ⑪ 5, 5 ⑫ 9, 9
⑬ 3, 3 ⑭ 7, 7 ⑮ 4, 4
⑯ 8, 8 ⑰ 5, 5 ⑱ 7, 7
⑲ 9, 9 ⑳ 7, 7 ㉑ 7, 7
㉒ 8, 8 ㉓ 5, 5 ㉔ 5, 5

① $4×2=8$
$8÷4=\boxed{2}$

② $7×6=42$
$42÷7=\boxed{6}$

③ $2×9=18$
$18÷2=\boxed{9}$

④ $4×6=24$
$24÷4=\boxed{6}$

⑮ $9×\boxed{4}=36 \longleftrightarrow 36÷9=\boxed{4}$
9단 곱셈구구

⑯ $2×\boxed{8}=16 \longleftrightarrow 16÷2=\boxed{8}$
2단 곱셈구구

정답과 해설

③ 일차 플러스 계산 연습 72~73쪽

1 4, 7, 9	**2** 3, 5, 7
3 2, 6, 8	**4** 2, 4, 7
5 4, 6, 8	**6** 3, 7, 9
7 3	**8** 7
9 9	**10** 9
11 9, 9	**12** 8, 8
13 7, 6, 7	**14** 9, 5, 9
15 5, 8	**16** 6, 6
17 7, 5	**18** 9, 6

1 3단 곱셈구구를 이용합니다.

2 5단 곱셈구구를 이용합니다.

7 $\boxed{3} \times 8 = 24$
$24 \div 8 = \boxed{3}$

8 $\boxed{7} \times 5 = 35$
$35 \div 5 = \boxed{7}$

9 $\boxed{9} \times 4 = 36$
$36 \div 4 = \boxed{9}$

10 $\boxed{9} \times 2 = 18$
$18 \div 2 = \boxed{9}$

15 (필요한 접시의 수)$=40 \div 5 = 8$(개)

17 (한 도막의 길이)$=35 \div 7 = 5$(cm)

④ 일차 기초 계산 연습 74~75쪽

❶ 90	❷ 70	❸ 240
❹ 180	❺ 480	❻ 350
❼ 48	❽ 96	❾ 82
❿ 46	⓫ 39	⓬ 84
⓭ 99	⓮ 55	⓯ 86

⓰
```
    8 0  , 400
  ×   5
  4 0 0
```

⓱
```
    9 0  , 630
  ×   7
  6 3 0
```

⓲
```
    2 1  , 63
  ×   3
    6 3
```

⓳
```
    4 4  , 88
  ×   2
    8 8
```

⓴
```
    1 1  , 66
  ×   6
    6 6
```

④ 일차 플러스 계산 연습 76~77쪽

1 80	**2** 90	**3** 42
4 93	**5** 44	**6** 88
7 540	**8** 560	**9** 66
10 88	**11** 68	**12** 28
13 40	**14** 6, 180	**15** 12, 3, 36
16 12, 4, 48	**17** 7, 70	**18** 20, 4, 80
19 2, 48	**20** 11, 7, 77	

17 10개씩 7상자 ➡ $10 \times 7 = 70$(개)

19 24쪽씩 2일 ➡ $24 \times 2 = 48$(쪽)

⑤ 일차 기초 계산 연습 78~79쪽

❶ 155	❷ 129	❸ 144
❹ 486	❺ 427	❻ 108
❼ 189	❽ 186	❾ 328
❿ 168	⓫ 306	⓬ 128
⓭ 369	⓮ 146	⓯ 246

⓰
```
    9 1  , 546
  ×   6
  5 4 6
```

⓱
```
    6 1  , 305
  ×   5
  3 0 5
```

⓲
```
    7 2  , 288
  ×   4
  2 8 8
```

⓳
```
    9 2  , 276
  ×   3
  2 7 6
```

⓴
```
    7 1  , 568
  ×   8
  5 6 8
```

⑤ 일차 플러스 계산 연습 80~81쪽

1 488	**2** 357	**3** 164
4 219	**5** 426	**6** 368
7 168	**8** 217	**9** 148
10 279	**11** 248	**12** 159
13 128	**14** 3, 126	**15** 51, 4, 204
16 72, 4, 288	**17** 246	**18** 7, 287
19 32, 4, 128	**20** 51, 9, 459	

1	6 1 × 8 4 8 8	**2**	5 1 × 7 3 5 7
7	4 2 × 4 1 6 8	**8**	3 1 × 7 2 1 7
15	5 1 × 4 2 0 4	**16**	7 2 × 4 2 8 8
17	8 2 × 3 2 4 6	**18**	4 1 × 7 2 8 7

1	²1 5 × 5 7 5	**2**	²2 7 × 3 8 1
3	¹2 6 × 2 5 2	**4**	³1 7 × 5 8 5
7	¹2 4 × 4 9 6	**8**	¹1 5 × 3 4 5
9	²1 3 × 7 9 1	**10**	¹4 5 × 2 9 0
15	¹2 3 × 4 9 2	**16**	¹1 2 × 8 9 6
17	¹2 5 × 3 7 5	**18**	¹1 3 × 5 6 5
19	³1 5 × 6 9 0	**20**	³1 9 × 4 7 6

---

⑥ 일차   기초 계산 연습   82~83쪽

① 2 ; 70 　② 1 ; 38 　③ 1 ; 75
④ 1 ; 92 　⑤ 1 ; 96 　⑥ 3 ; 96
⑦ 2 ; 87 　⑧ 2 ; 98 　⑨ 1 ; 94
⑩ 84 　⑪ 78 　⑫ 70
⑬ 90 　⑭ 60 　⑮ 80

⑯ 3 9 , 78
 × 2
 7 8 ⑰ 1 7 , 51
 × 3
 5 1
⑱ 2 4 , 72
 × 3
 7 2 ⑲ 1 2 , 84
 × 7
 8 4
⑳ 1 3 , 78
 × 6
 7 8

---

⑦ 일차   기초 계산 연습   86~87쪽

① 3 ; 180 　② 3 ; 315 　③ 1 ; 192
④ 2 ; 380 　⑤ 2 ; 567 　⑥ 4 ; 168
⑦ 3 ; 230 　⑧ 1 ; 252 　⑨ 4 ; 600
⑩ 231 　⑪ 295 　⑫ 135
⑬ 558 　⑭ 470 　⑮ 534

⑯ 7 7 , 308
 × 4
 3 0 8 ⑰ 8 9 , 445
 × 5
 4 4 5
⑱ 7 3 , 511
 × 7
 5 1 1 ⑲ 6 5 , 260
 × 4
 2 6 0
⑳ 2 8 , 224
 × 8
 2 2 4

---

⑥ 일차   플러스 계산 연습   84~85쪽

1 75 　 **2** 81 　 **3** 52
4 85 　 **5** 98 　 **6** 72
7 96 　 **8** 45 　 **9** 91
10 90 　 **11** 76 　 **12** 64
13 7, 98 　 **14** 3, 84 　 **15** 23, 4, 92
16 12, 8, 96 　 **17** 3, 75 　 **18** 5, 65
19 15, 6, 90 　 **20** 19, 4, 76

정답과 해설

7 일차 플러스 계산 연습 88~89쪽

1 329		**2** 405		**3** 474	
4 175		**5** 364		**6** 152	
7 300		**8** 392		**9** 340	
10 477		**11** 522		**12** 744	
13 7, 266		**14** 5, 465		**15** 49, 6, 294	
16 54, 8, 432		**17** 8, 136		**18** 4, 192	
19 55, 6, 330		**20** 28, 5, 140			

1
$$\begin{array}{r} \overset{4}{4}\,7 \\ \times\quad 7 \\ \hline 3\,2\,9 \end{array}$$

2
$$\begin{array}{r} \overset{4}{4}\,5 \\ \times\quad 9 \\ \hline 4\,0\,5 \end{array}$$

3
$$\begin{array}{r} \overset{5}{7}\,9 \\ \times\quad 6 \\ \hline 4\,7\,4 \end{array}$$

4
$$\begin{array}{r} \overset{2}{3}\,5 \\ \times\quad 5 \\ \hline 1\,7\,5 \end{array}$$

7
$$\begin{array}{r} \overset{2}{7}\,5 \\ \times\quad 4 \\ \hline 3\,0\,0 \end{array}$$

8
$$\begin{array}{r} \overset{7}{4}\,9 \\ \times\quad 8 \\ \hline 3\,9\,2 \end{array}$$

9
$$\begin{array}{r} \overset{4}{6}\,8 \\ \times\quad 5 \\ \hline 3\,4\,0 \end{array}$$

10
$$\begin{array}{r} \overset{2}{5}\,3 \\ \times\quad 9 \\ \hline 4\,7\,7 \end{array}$$

11
$$\begin{array}{r} \overset{4}{8}\,7 \\ \times\quad 6 \\ \hline 5\,2\,2 \end{array}$$

12
$$\begin{array}{r} \overset{2}{9}\,3 \\ \times\quad 8 \\ \hline 7\,4\,4 \end{array}$$

13
$$\begin{array}{r} \overset{5}{3}\,8 \\ \times\quad 7 \\ \hline 2\,6\,6 \end{array}$$

14
$$\begin{array}{r} \overset{1}{9}\,3 \\ \times\quad 5 \\ \hline 4\,6\,5 \end{array}$$

15
$$\begin{array}{r} \overset{5}{4}\,9 \\ \times\quad 6 \\ \hline 2\,9\,4 \end{array}$$

16
$$\begin{array}{r} \overset{3}{5}\,4 \\ \times\quad 8 \\ \hline 4\,3\,2 \end{array}$$

17
$$\begin{array}{r} \overset{5}{1}\,7 \\ \times\quad 8 \\ \hline 1\,3\,6 \end{array}$$

18
$$\begin{array}{r} \overset{3}{4}\,8 \\ \times\quad 4 \\ \hline 1\,9\,2 \end{array}$$

19
$$\begin{array}{r} \overset{3}{5}\,5 \\ \times\quad 6 \\ \hline 3\,3\,0 \end{array}$$

20
$$\begin{array}{r} \overset{4}{2}\,8 \\ \times\quad 5 \\ \hline 1\,4\,0 \end{array}$$

12

평가 SPEED 연산력 TEST 90~91쪽

① $14\div2=7$, $14\div7=2$					
② $12\div4=3$, $12\div3=4$					
③ $40\div5=8$, $40\div8=5$					
④ $3\times8=24$, $8\times3=24$					
⑤ $7\times4=28$, $4\times7=28$					
⑥ $9\times5=45$, $5\times9=45$					
⑦ 4, 6		⑧ 5, 8		⑨ 5, 7	
⑩ 6, 9		⑪ 7, 8		⑫ 4, 9	
⑬ 280		⑭ 84		⑮ 159	
⑯ 567		⑰ 90		⑱ 72	
⑲ 185		⑳ 424		㉑ 558	
㉒ 64		㉓ 729		㉔ 290	
㉕ 438					

①
$$2\times7=14 \qquad 2\times7=14$$
$$14\div2=7 \qquad 14\div7=2$$

②
$$4\times3=12 \qquad 4\times3=12$$
$$12\div4=3 \qquad 12\div3=4$$

④
$$24\div3=8 \qquad 24\div3=8$$
$$3\times8=24 \qquad 8\times3=24$$

⑤
$$28\div7=4 \qquad 28\div7=4$$
$$7\times4=28 \qquad 4\times7=28$$

⑦ 2단 곱셈구구를 이용합니다.

⑧ 4단 곱셈구구를 이용합니다.

⑱
$$\begin{array}{r} \overset{1}{2}\,4 \\ \times\quad 3 \\ \hline 7\,2 \end{array}$$

⑲
$$\begin{array}{r} \overset{3}{3}\,7 \\ \times\quad 5 \\ \hline 1\,8\,5 \end{array}$$

⑳
$$\begin{array}{r} \overset{2}{5}\,3 \\ \times\quad 8 \\ \hline 4\,2\,4 \end{array}$$

㉑
$$\begin{array}{r} \overset{1}{6}\,2 \\ \times\quad 9 \\ \hline 5\,5\,8 \end{array}$$

㉒
$$\begin{array}{r} \overset{2}{1}\,6 \\ \times\quad 4 \\ \hline 6\,4 \end{array}$$

㉓
$$\begin{array}{r} 8\,1 \\ \times\quad 9 \\ \hline 7\,2\,9 \end{array}$$

㉔
$$\begin{array}{r} \overset{4}{5}\,8 \\ \times\quad 5 \\ \hline 2\,9\,0 \end{array}$$

㉕
$$\begin{array}{r} \overset{1}{7}\,3 \\ \times\quad 6 \\ \hline 4\,3\,8 \end{array}$$

특강 | 문장제 문제 도전하기 92~95쪽

1 8 ; 24, 3, 8 ; 8   **2** 5 ; 35, 7, 5 ; 5
3 6 ; 54, 9, 6 ; 6   **4** 30, 5, 6
5 48, 6, 8   **6** 27, 9, 3
7 48 ; 12, 4, 48 ; 48
8 246 ; 82, 3, 246 ; 246
9 270 ; 45, 6, 270 ; 270
10 51, 6, 306
11 14, 4, 56
12 68, 7, 476

9
```
    3
    4 5
×     6
─────────
  2 7 0
```

10
```
    5 1
×     6
─────────
  3 0 6
```

11
```
    1
    1 4
×     4
─────────
    5 6
```

12
```
    5
    6 8
×     7
─────────
  4 7 6
```

특강 | 창의·융합·코딩·도전하기 96~97쪽

 228   3   창의3 260

 (4페소의 금액)＝57×4＝228(원)

코딩2 36÷4＝9로 5보다 크므로 '아니오'로 갑니다.
9＋3＝12를 4로 나누면 12÷4＝3입니다.
3은 5보다 작으므로 '예'로 갑니다.

창의3
10 —×4→ 40
21 —×4→ 84
28 —×4→ 112
마술 상자에 수를 넣으면 4배 한 수가 나오는
규칙입니다.
➡ 마술 상자에 65를 넣었을 때 나오는 수:
65×4＝260

✱ 개념 ○✗ 퀴즈 정답

○   ✗

---

3 길이와 시간

✱ 개념 ○✗ 퀴즈

옳으면 ○에, 틀리면 ✗에 ○표 하세요.

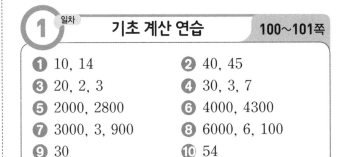
70 cm＝7 mm

○   ✗

정답은 20쪽에서 확인하세요.

1 일차 | 기초 계산 연습 100~101쪽

❶ 10, 14   ❷ 40, 45
❸ 20, 2, 3   ❹ 30, 3, 7
❺ 2000, 2800   ❻ 4000, 4300
❼ 3000, 3, 900 ❽ 6000, 6, 100
❾ 30   ❿ 54
⓫ 79   ⓬ 82
⓭ 5   ⓮ 4, 3
⓯ 6, 4   ⓰ 9, 1
⓱ 4000   ⓲ 1500
⓳ 3900   ⓴ 6030
㉑ 7   ㉒ 2, 500
㉓ 5, 300   ㉔ 8, 70

❿ 5 cm 4 mm＝50 mm＋4 mm＝54 mm
⓫ 7 cm 9 mm＝70 mm＋9 mm＝79 mm
⓬ 8 cm 2 mm＝80 mm＋2 mm＝82 mm
⓮ 43 mm＝40 mm＋3 mm＝4 cm 3 mm
⓯ 64 mm＝60 mm＋4 mm＝6 cm 4 mm
⓳ 3 km 900 m＝3000 m＋900 m＝3900 m
⓴ 6 km 30 m＝6000 m＋30 m＝6030 m
㉒ 2500 m＝2000 m＋500 m＝2 km 500 m
㉓ 5300 m＝5000 m＋300 m＝5 km 300 m
㉔ 8070 m＝8000 m＋70 m＝8 km 70 m

정답과 해설

① 일차 플러스 계산 연습 102~103쪽

1
2
3
4

5 >	**6** <
7 <	**8** >
9 >	**10** =
11 1, 900	**12** 2, 300
13 2, 750	**14** 3, 70
15 58	**16** 94
17 3650	**18** 7030

3 • 2 km 70 m=2000 m+70 m=2070 m
　　• 2 km 700 m=2000 m+700 m=2700 m

4 • 8004 m=8000 m+4 m=8 km 4 m
　　• 8040 m=8000 m+40 m=8 km 40 m

5 2 cm 7 mm=20 mm+7 mm=27 mm
　→ 27 mm>25 mm

9 5 km 100 m=5000 m+100 m=5100 m
　→ 5100 m>5090 m

14 3070 m=3000 m+70 m=3 km 70 m

15 5 cm 8 mm=50 mm+8 mm=58 mm

18 7 km 30 m=7000 m+30 m=7030 m

② 일차 기초 계산 연습 104~105쪽

❶ 9, 3	❷ 4, 6	❸ 8, 7
❹ 7, 9	❺ 9, 5	❻ 9, 9
❼ 5, 4	❽ 8, 6	❾ 7, 2
❿ 5, 3	⓫ 6, 1	⓬ 7, 2
⓭ 9, 1	⓮ 9, 4	⓯ 8, 8
⓰ 8, 7	⓱ 4, 9	⓲ 7, 2
⓳ 7, 4	⓴ 8, 1	

⑰
```
    2 cm  8 mm
+   2 cm  1 mm
    4 cm  9 mm
```

⑱
```
       1
    3 cm  6 mm
+   3 cm  6 mm
    7 cm  2 mm
```

⑲
```
       1
    3 cm  9 mm
+   3 cm  5 mm
    7 cm  4 mm
```

⑳
```
       1
    5 cm  3 mm
+   2 cm  8 mm
    8 cm  1 mm
```

② 일차 플러스 계산 연습 106~107쪽

1 6, 8	**2** 8, 6	**3** 7, 5
4 7, 3	**5** 5, 6	**6** 7, 6
7 7, 9	**8** 6, 5	**9** 7, 1
10 9, 2	**11** 84, 9	**12** 69, 3
13 95, 8	**14** 80, 2	**15** 7, 8, 14, 3
16 5, 4, 13, 1		

3
```
       1
    4 cm  7 mm
+   2 cm  8 mm
    7 cm  5 mm
```

4
```
       1
    1 cm  6 mm
+   5 cm  7 mm
    7 cm  3 mm
```

8
```
       1
    3 cm  8 mm
+   2 cm  7 mm
    6 cm  5 mm
```

9
```
       1
    1 cm  5 mm
+   5 cm  6 mm
    7 cm  1 mm
```

12
```
       1
    23 cm  5 mm
+   45 cm  8 mm
    69 cm  3 mm
```

14
```
       1
    34 cm  4 mm
+   45 cm  8 mm
    80 cm  2 mm
```

15
```
       1
    6 cm  5 mm
+   7 cm  8 mm
    14 cm  3 mm
```

16
```
       1
    7 cm  7 mm
+   5 cm  4 mm
    13 cm  1 mm
```

③ 일차 기초 계산 연습 108~109쪽

❶ 6, 1	❷ 1, 7	❸ 1, 3
❹ 6, 2	❺ 4, 2	❻ 2, 3
❼ 6, 8	❽ 2, 7	❾ 5, 6
❿ 4, 4	⓫ 1, 7	⓬ 1, 5
⓭ 5, 8	⓮ 6, 7	⓯ 2, 1
⓰ 4, 2	⓱ 1, 9	⓲ 2, 4
⓳ 1, 7	⓴ 2, 8	

⑰
6 10
7 cm 3 mm
− 5 cm 4 mm
1 cm 9 mm

⑱
8 10
9 cm 2 mm
− 6 cm 8 mm
2 cm 4 mm

⑲
7 10
8 cm 2 mm
− 6 cm 5 mm
1 cm 7 mm

⑳
5 10
6 cm 2 mm
− 3 cm 4 mm
2 cm 8 mm

③ 일차 플러스 계산 연습 110~111쪽

1 6, 1	**2** 2, 4
3 4, 3	**4** 5, 6
5 7, 2	**6** 4, 2
7 2, 5	**8** 3, 8
9 1, 7	**10** 1, 9
11 4, 5	**12** 2, 3
13 8, 7	**14** 1, 9
15 3, 2, 6, 3	**16** 5, 4, 2, 9

3
6 10
7 cm 1 mm
− 2 cm 8 mm
4 cm 3 mm

4
9 10
10 cm 5 mm
− 4 cm 9 mm
5 cm 6 mm

7
6 10
7 cm 3 mm
− 4 cm 8 mm
2 cm 5 mm

8
7 10
8 cm 5 mm
− 4 cm 7 mm
3 cm 8 mm

9
8 10
9 cm 1 mm
− 7 cm 4 mm
1 cm 7 mm

10
9 10
10 cm 7 mm
− 8 cm 8 mm
1 cm 9 mm

11
12 10
13 cm 2 mm
− 8 cm 7 mm
4 cm 5 mm

12
6 cm 8 mm
− 4 cm 5 mm
2 cm 3 mm

13
12 10
13 cm 2 mm
− 4 cm 5 mm
8 cm 7 mm

14
7 10
8 cm 7 mm
− 6 cm 8 mm
1 cm 9 mm

15
9 cm 5 mm
− 3 cm 2 mm
6 cm 3 mm

16
7 10
8 cm 3 mm
− 5 cm 4 mm
2 cm 9 mm

④ 일차 기초 계산 연습 112~113쪽

1 5, 400	**2** 3, 700	**3** 8, 900
4 8, 600	**5** 5, 650	**6** 9, 850
7 4, 100	**8** 6, 200	**9** 9, 400
10 7, 300	**11** 7, 250	**12** 8, 450
13 9, 100	**14** 7, 50	**15** 8, 400
16 7, 700	**17** 7, 600	**18** 9, 300
19 6, 50	**20** 5, 200	

⑰
1
1 km 700 m
+ 5 km 900 m
7 km 600 m

⑱
1
2 km 500 m
+ 6 km 800 m
9 km 300 m

⑲
1
1 km 250 m
+ 4 km 800 m
6 km   50 m

⑳
1
3 km 850 m
+ 1 km 350 m
5 km 200 m

④ 일차 플러스 계산 연습 114~115쪽

1 5, 400	**2** 5, 650	**3** 7, 500
4 9, 250	**5** 8, 500	**6** 6, 600
7 5, 650	**8** 9, 400	**9** 6, 50
10 9, 300	**11** 4, 600	**12** 6, 850
13 7, 850	**14** 7, 100	**15** 8, 700
16 6, 450		

3
1
5 km 700 m
+ 1 km 800 m
7 km 500 m

4
1
4 km 450 m
+ 4 km 800 m
9 km 250 m

8
1
6 km 600 m
+ 2 km 800 m
9 km 400 m

10
1
3 km 650 m
+ 5 km 650 m
9 km 300 m

11
1
1 km 700 m
+ 2 km 900 m
4 km 600 m

14
1
2 km 600 m
+ 4 km 500 m
7 km 100 m

15
7 km 200 m
+ 1 km 500 m
8 km 700 m

16
1
2 km 800 m
+ 3 km 650 m
6 km 450 m

정답과 해설

⑤ 일차   기초 계산 연습   116~117쪽

① 2, 400	② 1, 400	③ 4, 100
④ 4, 300	⑤ 4, 650	⑥ 4, 50
⑦ 1, 700	⑧ 2, 800	⑨ 3, 500
⑩ 3, 200	⑪ 1, 900	⑫ 5, 450
⑬ 1, 300	⑭ 1, 450	⑮ 2, 300
⑯ 8, 400	⑰ 1, 300	⑱ 3, 300
⑲ 2, 900	⑳ 2, 850	

⑰
```
    7 km  600 m
 -  6 km  300 m
 ─────────────────
    1 km  300 m
```

⑱
```
     4      1000
     5̶ km  200 m
 -   1 km  900 m
 ─────────────────
     3 km  300 m
```

⑲
```
     7      1000
     8̶ km  800 m
 -   5 km  900 m
 ─────────────────
     2 km  900 m
```

⑳
```
     6      1000
     7̶ km  150 m
 -   4 km  300 m
 ─────────────────
     2 km  850 m
```

⑤ 일차   플러스 계산 연습   118~119쪽

1 5, 100	2 3, 100	3 3, 700
4 5, 200	5 4, 100	6 1, 300
7 5, 100	8 3, 600	9 1, 600
10 2, 600	11 4, 100	12 7, 500
13 2, 400	14 6, 650	15 2, 200
16 8, 400		

3
```
     5      1000
     6̶ km  200 m
 -   2 km  500 m
 ─────────────────
     3 km  700 m
```

4
```
     8      1000
     9̶ km  100 m
 -   3 km  900 m
 ─────────────────
     5 km  200 m
```

8
```
     4      1000
     5̶ km  500 m
 -   1 km  900 m
 ─────────────────
     3 km  600 m
```

10
```
     6      1000
     7̶ km  400 m
 -   4 km  800 m
 ─────────────────
     2 km  600 m
```

12
```
    15      1000
    1̶6̶ km  300 m
 -   8 km  800 m
 ─────────────────
     7 km  500 m
```

14
```
    11      1000
    1̶2̶ km  150 m
 -   5 km  500 m
 ─────────────────
     6 km  650 m
```

15
```
     8 km  700 m
 -   6 km  500 m
 ─────────────────
     2 km  200 m
```

16
```
     9      1000
    1̶0̶ km  100 m
 -   1 km  700 m
 ─────────────────
     8 km  400 m
```

평가   SPEED 연산력 TEST   120~121쪽

① 32	② 5, 8	③ 4200
④ 7, 90	⑤ 3, 8	⑥ 9, 2
⑦ 9, 1	⑧ 5, 5	⑨ 2, 9
⑩ 5, 7	⑪ 7, 600	⑫ 9, 300
⑬ 4, 150	⑭ 2, 400	⑮ 3, 800
⑯ 3, 750	⑰ 8, 2	⑱ 6, 3
⑲ 5, 100	⑳ 3, 600	

① 3 cm 2 mm = 30 mm + 2 mm = 32 mm

② 58 mm = 50 mm + 8 mm = 5 cm 8 mm

③ 4 km 200 m = 4000 m + 200 m = 4200 m

④ 7090 m = 7000 m + 90 m = 7 km 90 m

⑰
```
        1
     6 cm   7 mm
 +   1 cm   5 mm
 ─────────────────
     8 cm   2 mm
```

⑱
```
        8      10
     9 cm   1 mm
 -   2 cm   8 mm
 ─────────────────
     6 cm   3 mm
```

⑲
```
        1
     1 km   400 m
 +   3 km   700 m
 ─────────────────
     5 km   100 m
```

⑳
```
        6      1000
     7 km   300 m
 -   3 km   700 m
 ─────────────────
     3 km   600 m
```

⑥ 일차   기초 계산 연습   122~123쪽

① 35, 1, 35	② 30, 2, 30
③ 180, 20, 3, 20	④ 240, 50, 4, 50
⑤ 60, 110	⑥ 120, 130
⑦ 180, 220	⑧ 240, 250
⑨ 4	⑩ 3, 10
⑪ 2, 40	⑫ 4, 40
⑬ 7, 10	⑭ 8, 20
⑮ 3, 55	⑯ 5, 35
⑰ 180	⑱ 260
⑲ 230	⑳ 340
㉑ 195	㉒ 385
㉓ 305	㉔ 475

⑩ 190초 = 180초 + 10초 = 3분 10초

⑪ 160초 = 120초 + 40초 = 2분 40초

16

⑫ 280초＝240초＋40초＝4분 40초

⑮ 235초＝180초＋55초＝3분 55초

⑯ 335초＝300초＋35초＝5분 35초

⑱ 4분 20초＝240초＋20초＝260초

⑲ 3분 50초＝180초＋50초＝230초

⑳ 5분 40초＝300초＋40초＝340초

㉓ 5분 5초＝300초＋5초＝305초

㉔ 7분 55초＝420초＋55초＝475초

11 밥 데우기: 210초＝180초＋30초＝3분 30초
만두 찌기: 380초＝360초＋20초＝6분 20초
달걀찜: 8분 20초＝480초＋20초＝500초
단호박 찌기: 5분 15초＝300초＋15초＝315초

13 410초＝360초＋50초＝6분 50초

14 365초＝360초＋5초＝6분 5초

16 3분 55초＝180초＋55초＝235초

17 6분 45초＝360초＋45초＝405초

---

⑥ 일차 플러스 계산 연습 124~125쪽

5 ( )(○)   **6** ( )(○)
7 (○)( )   **8** (○)( )
9 (○)( )   **10** (○)( )
11 (왼쪽부터) 3, 30 ; 6, 20 ; 500 ; 315
12 4, 30   **13** 6, 50
14 6, 5   **15** 170
16 235   **17** 405

1 ・220초＝180초＋40초＝3분 40초
　・280초＝240초＋40초＝4분 40초

3 ・4분＝60초＋60초＋60초＋60초＝240초
　・4분 50초＝240초＋50초＝290초

7 3분 30초＝180초＋30초＝210초
　➡ 210초＞200초이므로 3분 30초＞200초입니다.

8 270초＝240초＋30초＝4분 30초
　➡ 4분 30초＞4분 20초이므로 270초＞4분 20초
　입니다.

9 5분 10초＝300초＋10초＝310초
　➡ 310초＞290초이므로 5분 10초＞290초입
　니다.

---

⑦ 일차 기초 계산 연습 126~127쪽

① 21, 45   ② 31, 50   ③ 27, 43
④ 44, 40   ⑤ 43, 41   ⑥ 35, 31
⑦ 42, 2   ⑧ 34, 15   ⑨ 51, 20
⑩ 44, 35   ⑪ 32, 15   ⑫ 41, 30
⑬ 27, 8   ⑭ 47, 10   ⑮ 18, 40
⑯ 31, 55   ⑰ 39, 40   ⑱ 41, 15
⑲ 51, 20   ⑳ 40, 40

⑰　　14분 15초
　＋25분 25초
　　39분 40초

⑱　　　　1
　　23분 45초
　＋17분 30초
　　41분 15초

⑲　　　1
　　34분 25초
　＋16분 55초
　　51분 20초

⑳　　　1
　　22분 55초
　＋17분 45초
　　40분 40초

---

⑦ 일차 플러스 계산 연습 128~129쪽

1 50, 40   **2** 55, 30
3 41, 30   **4** 33, 20
5 36, 45   **6** 48, 50
7 23, 55   **8** 35, 5
9 41, 15   **10** 40, 20
11 27, 55   **12** 51, 5
13 36, 30   **14** 42, 30
15 14, 10, 37, 30   **16** 20, 40, 36, 10

3
```
         1
   28분 50초
 + 12분 40초
   41분 30초
```

4
```
         1
   19분 45초
 + 13분 35초
   33분 20초
```

8
```
          1
    7분 40초
 + 27분 25초
   35분  5초
```

10
```
         1
   22분 55초
 + 17분 25초
   40분 20초
```

12
```
         1
   26분 55초
 + 24분 10초
   51분  5초
```

13
```
          1
    9분 35초
 + 26분 55초
   36분 30초
```

15
```
   23분 20초
 + 14분 10초
   37분 30초
```

16
```
         1
   15분 30초
 + 20분 40초
   36분 10초
```

⑧ 일차 기초 계산 연습 130~131쪽

❶ 4, 45	❷ 7, 36
❸ 7, 11	❹ 9, 14
❺ 7, 39, 40	❻ 5, 22, 45
❼ 5, 35, 45	❽ 5, 20, 25
❾ 8, 35, 34	❿ 5, 30, 39
⓫ 7, 8, 43	⓬ 9, 34, 35
⓭ 8, 10, 25	⓮ 5, 11, 10
⓯ 7, 39	⓰ 7, 17
⓱ 7, 48, 50	⓲ 9, 20, 30
⓳ 5, 20, 45	⓴ 8, 7, 30

⓰
```
           1
   4시     37분
 + 2시간  40분
   7시     17분
```

⓲
```
           1
   5시     50분 14초
 + 3시간  30분 16초
   9시     20분 30초
```

⓳
```
           1
   2시간  35분 30초
 + 2시간  45분 15초
   5시간  20분 45초
```

⓴
```
           1      1
   4시간  28분 45초
 + 3시간  38분 45초
   8시간   7분 30초
```

18

⑧ 일차 플러스 계산 연습 132~133쪽

1 3, 50	**2** 7, 15
3 7, 15, 35	**4** 8, 20, 20
5 7, 31	**6** 5, 25
7 8, 15, 35	**8** 5, 11, 15
9 3, 56, 10	**10** 4, 2, 30
11 5, 13, 15	**12** 2, 45, 25
13 2, 25, 3, 40	**14** 1, 45, 6, 15

3
```
           1
   3시     35분 20초
 + 3시간  40분 15초
   7시     15분 35초
```

4
```
           1      1
   6시     50분 40초
 + 1시간  29분 40초
   8시     20분 20초
```

8
```
           1      1
   1시간  25분 30초
 + 3시간  45분 45초
   5시간  11분 15초
```

9
```
                  1
   2시간  25분 40초
 + 1시간  30분 30초
   3시간  56분 10초
```

12
```
                  1
   1시간  14분 55초
 + 1시간  30분 30초
   2시간  45분 25초
```

13
```
   1시     15분
 + 2시간  25분
   3시     40분
```

14
```
           1
   4시     30분
 + 1시간  45분
   6시     15분
```

⑨ 일차 기초 계산 연습 134~135쪽

❶ 13, 15	❷ 3, 20	❸ 21, 22
❹ 9, 6	❺ 18, 15	❻ 35, 17
❼ 6, 40	❽ 14, 50	❾ 5, 40
❿ 13, 50	⓫ 20, 15	⓬ 11, 42
⓭ 25, 47	⓮ 29, 25	⓯ 28, 20
⓰ 28, 5	⓱ 35, 25	⓲ 17, 45
⓳ 16, 44	⓴ 14, 45	

정답과 해설

⑰
$$50\text{분}\ 50\text{초}$$
$$-15\text{분}\ 25\text{초}$$
$$\overline{35\text{분}\ 25\text{초}}$$

⑱
24　　60
$$25\text{분}\ 30\text{초}$$
$$-7\text{분}\ 45\text{초}$$
$$\overline{17\text{분}\ 45\text{초}}$$

⑲
26　　60
$$27\text{분}\ 24\text{초}$$
$$-10\text{분}\ 40\text{초}$$
$$\overline{16\text{분}\ 44\text{초}}$$

⑳
28　　60
$$29\text{분}\ 20\text{초}$$
$$-14\text{분}\ 35\text{초}$$
$$\overline{14\text{분}\ 45\text{초}}$$

9 일차 플러스 계산 연습　136~137쪽

1 8, 12　　　**2** 16, 35
3 17, 55　　**4** 20, 40
5 27, 5　　　**6** 26, 35
7 28, 25　　**8** 34, 30
9 14, 55　　**10** 9, 30
11 7, 15　　**12** 11, 45
13 21, 30　　**14** 11, 25
15 2, 30, 7, 20　　**16** 8, 35, 15, 45

3
31　　60
$$32\text{분}\ 35\text{초}$$
$$-14\text{분}\ 40\text{초}$$
$$\overline{17\text{분}\ 55\text{초}}$$

8
50　　60
$$51\text{분}\ 20\text{초}$$
$$-16\text{분}\ 50\text{초}$$
$$\overline{34\text{분}\ 30\text{초}}$$

12
41　　60
$$42\text{분}\ 30\text{초}$$
$$-30\text{분}\ 45\text{초}$$
$$\overline{11\text{분}\ 45\text{초}}$$

14
36　　60
$$37\text{분}\ 5\text{초}$$
$$-25\text{분}\ 40\text{초}$$
$$\overline{11\text{분}\ 25\text{초}}$$

15
$$9\text{분}\ 50\text{초}$$
$$-2\text{분}\ 30\text{초}$$
$$\overline{7\text{분}\ 20\text{초}}$$

16
23　　60
$$24\text{분}\ 20\text{초}$$
$$-8\text{분}\ 35\text{초}$$
$$\overline{15\text{분}\ 45\text{초}}$$

10 일차 기초 계산 연습　138~139쪽

❶ 2, 30　　❷ 3, 45
❸ 3, 33, 5　　❹ 9, 18, 20
❺ 5, 23, 15　　❻ 2, 30, 55
❼ 7, 11, 20　　❽ 5, 10, 45
❾ 1, 47, 32　　❿ 1, 31, 7
⓫ 2, 6, 15　　⓬ 6, 15, 25
⓭ 3, 42, 7　　⓮ 3, 45, 5
⓯ 2, 15　　⓰ 3, 54
⓱ 3, 15, 25　　⓲ 7, 40, 40
⓳ 5, 55, 30　　⓴ 2, 20, 20

⑱
8　　60
$$9\text{시}\ 8\text{분}\ 55\text{초}$$
$$-1\text{시}\ 28\text{분}\ 15\text{초}$$
$$\overline{7\text{시간}\ 40\text{분}\ 40\text{초}}$$

⑲
7　　60
$$8\text{시}\ 20\text{분}\ 40\text{초}$$
$$-2\text{시간}\ 25\text{분}\ 10\text{초}$$
$$\overline{5\text{시}\ 55\text{분}\ 30\text{초}}$$

⑳
6　　60
$$7\text{시간}\ 10\text{분}\ 37\text{초}$$
$$-4\text{시간}\ 50\text{분}\ 17\text{초}$$
$$\overline{2\text{시간}\ 20\text{분}\ 20\text{초}}$$

10 일차 플러스 계산 연습　140~141쪽

1 3, 15　　**2** 3, 55
3 2, 55, 10　　**4** 7, 35, 25
5 3, 13　　**6** 5, 45
7 5, 45, 25　　**8** 4, 35, 5
9 2, 19, 10　　**10** 4, 10, 22
11 1, 54, 8　　**12** 3, 5, 30
13 5, 20, 2, 25　　**14** 1, 30, 2, 40

2
4　　60
$$5\text{시}\ 30\text{분}$$
$$-1\text{시}\ 35\text{분}$$
$$\overline{3\text{시간}\ 55\text{분}}$$

4
10　　60
$$11\text{시}\ 10\text{분}\ 40\text{초}$$
$$-3\text{시}\ 35\text{분}\ 15\text{초}$$
$$\overline{7\text{시간}\ 35\text{분}\ 25\text{초}}$$

7
6　　60
$$7\text{시간}\ 15\text{분}\ 45\text{초}$$
$$-1\text{시간}\ 30\text{분}\ 20\text{초}$$
$$\overline{5\text{시간}\ 45\text{분}\ 25\text{초}}$$

8
6　　60
$$7\text{시간}\ 20\text{분}\ 35\text{초}$$
$$-2\text{시간}\ 45\text{분}\ 30\text{초}$$
$$\overline{4\text{시간}\ 35\text{분}\ 5\text{초}}$$

12
39　　60
$$7\text{시}\ 40\text{분}\ 10\text{초}$$
$$-4\text{시간}\ 34\text{분}\ 40\text{초}$$
$$\overline{3\text{시}\ 5\text{분}\ 30\text{초}}$$

13
$$7\text{시}\ 45\text{분}$$
$$-5\text{시}\ 20\text{분}$$
$$\overline{2\text{시간}\ 25\text{분}}$$

14
3　　60
$$4\text{시}\ 10\text{분}$$
$$-1\text{시}\ 30\text{분}$$
$$\overline{2\text{시간}\ 40\text{분}}$$

정답과 해설

평가 SPEED 연산력 TEST 142~143쪽

① 3, 40   ② 5, 35
③ 280   ④ 370
⑤ 28, 40   ⑥ 39, 20
⑦ 9, 25   ⑧ 4, 32, 45
⑨ 6, 40, 20   ⑩ 9, 4, 50
⑪ 13, 35   ⑫ 23, 40
⑬ 4, 40   ⑭ 3, 20, 33
⑮ 5, 39, 11   ⑯ 3, 9, 45
⑰ 54, 2   ⑱ 8, 5, 35
⑲ 16, 30   ⑳ 2, 35, 45

① 220초=180초+40초=3분 40초

② 335초=300초+35초=5분 35초

③ 4분 40초=240초+40초=280초

④ 6분 10초=360초+10초=370초

⑰
```
        1
    46분  27초
 +   7분  35초
 ───────────────
    54분   2초
```

⑱
```
        1
  5시   40분  25초
+ 2시간 25분  10초
───────────────────
  8시    5분  35초
```

⑲
```
   34    60
  35분   15초
− 18분   45초
───────────────
  16분   30초
```

⑳
```
   7    60
  8시   20분  50초
− 5시   45분   5초
───────────────────
  2시간 35분  45초
```

특강 문장제 문제 도전하기 144~145쪽

1 2, 51, 20 ; 1시 35분 30초+1시간 15분 50초
=2시 51분 20초 ; 2, 51, 20

2 2, 35, 30 ; 4시 30분 40초−1시간 55분 10초
=2시 35분 30초 ; 2, 35, 30

3 6, 50, 10, 1, 15, 25, 8, 5, 35

4 6, 5, 40, 3, 40, 10, 2, 25, 30

1
```
         1
   1시   35분  30초
+ 1시간  15분  50초
───────────────────
   2시   51분  20초
```

2
```
    3      60
   4시   30분  40초
− 1시간  55분  10초
───────────────────
   2시   35분  30초
```

3
```
        1
   6시   50분  10초
+ 1시간  15분  25초
───────────────────
   8시    5분  35초
```

4
```
    5      60
   6시    5분  40초
− 3시간  40분  10초
───────────────────
   2시   25분  30초
```

특강 창의·융합·코딩·도전하기 146~147쪽

융합1 (1) 3, 25, 40 (2) 1, 37, 25
융합2 (왼쪽부터) 7310 ; 7, 420 ; 4, 420
창의3 5, 45, 45

융합1 (1) (방콕의 시각)=5시 25분 40초−2시간
=3시 25분 40초

(2) (파리의 시각)=9시 37분 25초−8시간
=1시 37분 25초

융합2 서해대교: 7 km 310 m=7000 m+310 m
=7310 m

광안대교: 7420 m=7000 m+420 m
=7 km 420 m

영종대교: 4420 m=4000 m+420 m
=4 km 420 m

창의3 6시 5분−20분+45초=5시 45분 45초

✷ 개념 ○✕ 퀴즈 정답

4 분수와 소수

✳ 개념 ⭕❌ 퀴즈

옳으면 ⭕에, 틀리면 ❌에 ⭕표 하세요.

0.1이 3개인 수는 0.3입니다.

정답은 24쪽에서 확인하세요.

1 일차 기초 계산 연습 150~151쪽

❶ 1, 1 ❷ 2, $\frac{2}{4}$ ❸ 5, 3, $\frac{3}{5}$

❹ 6, 5, $\frac{5}{6}$ ❺ $\frac{3}{6}$ ❻ $\frac{5}{8}$

❼ $\frac{2}{5}$ ❽ $\frac{4}{8}$ ❾ $\frac{3}{10}$

❿ $\frac{3}{4}$ ⓫ $\frac{4}{5}$ ⓬ $\frac{6}{8}$

⓭ $\frac{7}{10}$ ⓮ $\frac{5}{9}$ ⓯ $\frac{9}{16}$

❺ 전체를 똑같이 6으로 나눈 것 중의 3 ➡ $\frac{3}{6}$

❻ 전체를 똑같이 8로 나눈 것 중의 5 ➡ $\frac{5}{8}$

❼ 전체를 똑같이 5로 나눈 것 중의 2 ➡ $\frac{2}{5}$

❽ 전체를 똑같이 8로 나눈 것 중의 4 ➡ $\frac{4}{8}$

❿ 전체를 똑같이 4로 나눈 것 중의 3 ➡ $\frac{3}{4}$

⓫ 전체를 똑같이 5로 나눈 것 중의 4 ➡ $\frac{4}{5}$

⓮ 전체를 똑같이 9로 나눈 것 중의 5 ➡ $\frac{5}{9}$

⓯ 전체를 똑같이 16으로 나눈 것 중의 9 ➡ $\frac{9}{16}$

1 일차 플러스 계산 연습 152~153쪽

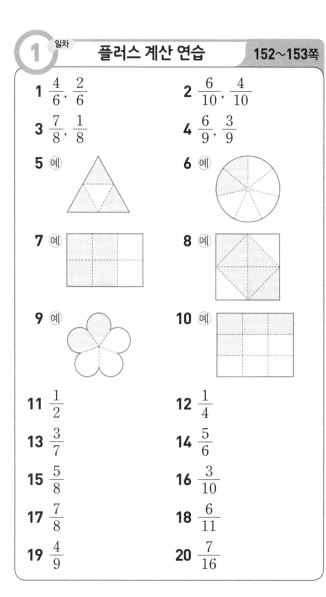

1 $\frac{4}{6}$, $\frac{2}{6}$　　2 $\frac{6}{10}$, $\frac{4}{10}$

3 $\frac{7}{8}$, $\frac{1}{8}$　　4 $\frac{6}{9}$, $\frac{3}{9}$

5 예　　6 예

7 예　　8 예

9 예　　10 예

11 $\frac{1}{2}$　　12 $\frac{1}{4}$

13 $\frac{3}{7}$　　14 $\frac{5}{6}$

15 $\frac{5}{8}$　　16 $\frac{3}{10}$

17 $\frac{7}{8}$　　18 $\frac{6}{11}$

19 $\frac{4}{9}$　　20 $\frac{7}{16}$

1 • 색칠한 부분: 전체를 똑같이 6으로 나눈 것 중의 4
　　➡ $\frac{4}{6}$

　• 색칠하지 않은 부분: 전체를 똑같이 6으로 나눈 것 중의 2 ➡ $\frac{2}{6}$

4 • 색칠한 부분: 전체를 똑같이 9로 나눈 것 중의 6
　　➡ $\frac{6}{9}$

　• 색칠하지 않은 부분: 전체를 똑같이 9로 나눈 것 중의 3 ➡ $\frac{3}{9}$

11 전체를 똑같이 2로 나눈 것 중의 1 ➡ $\frac{1}{2}$

19 빵 한 개를 똑같이 9조각으로 나눈 것 중의 4조각
　➡ $\frac{4}{9}$

20 색종이 한 장을 똑같이 16조각으로 나눈 것 중의
　7조각 ➡ $\frac{7}{16}$

정답과 해설

② 일차 기초 계산 연습   154~155쪽

① <	② >	③ >
④ <	⑤ >	⑥ >
⑦ <	⑧ >	⑨ >
⑩ <	⑪ <	⑫ >
⑬ <	⑭ >	⑮ <
⑯ <	⑰ <	⑱ <
⑲ >	⑳ >	㉑ <
㉒ >	㉓ <	㉔ >

① 색칠한 부분이 더 넓은 $\frac{2}{3}$가 더 큰 분수입니다.

⑤ 색칠한 부분이 더 넓은 $\frac{1}{4}$이 더 큰 분수입니다.

⑦ 5<6이므로 $\frac{5}{7}<\frac{6}{7}$입니다.

⑧ 7>4이므로 $\frac{7}{8}>\frac{4}{8}$입니다.

⑯ 7>6이므로 $\frac{1}{7}<\frac{1}{6}$입니다.

⑰ 9>5이므로 $\frac{1}{9}<\frac{1}{5}$입니다.

② 일차 플러스 계산 연습   156~157쪽

1 $\frac{4}{5}$에 ○표   **2** $\frac{6}{7}$에 ○표

3 $\frac{8}{10}$에 ○표   **4** $\frac{7}{12}$에 ○표

5 $\frac{1}{3}$에 ○표   **6** $\frac{1}{4}$에 ○표

7 $\frac{1}{9}$에 ○표   **8** $\frac{1}{11}$에 ○표

9 $\frac{2}{6}$ **10** $\frac{4}{11}$

11 $\frac{1}{9}$ **12** $\frac{1}{12}$

13 >, $\frac{1}{3}$ **14** $\frac{1}{5}$, <

15 $\frac{2}{4}$, <, $\frac{3}{4}$ **16** $\frac{5}{7}$, >, $\frac{3}{7}$

17 <, $\frac{7}{8}$ **18** >, $\frac{1}{10}$

19 >, 분홍 끈   **20** <, 학교

---

1 2<4이므로 $\frac{2}{5}<\frac{4}{5}$입니다.

4 7>5이므로 $\frac{7}{12}>\frac{5}{12}$입니다.

5 3<7이므로 $\frac{1}{3}>\frac{1}{7}$입니다.

8 15>11이므로 $\frac{1}{15}<\frac{1}{11}$입니다.

9 5>2이므로 $\frac{5}{6}>\frac{2}{6}$입니다.

11 7<9이므로 $\frac{1}{7}>\frac{1}{9}$입니다.

13 2>1이므로 $\frac{2}{3}>\frac{1}{3}$입니다.

16 5>3이므로 $\frac{5}{7}>\frac{3}{7}$입니다.

17 $\frac{5}{8}<\frac{7}{8}$이므로 더 큰 분수는 $\frac{7}{8}$입니다.

18 $\frac{1}{7}>\frac{1}{10}$이므로 더 작은 분수는 $\frac{1}{10}$입니다.

19 $\frac{10}{11}>\frac{8}{11}$이므로 더 짧은 끈은 분홍 끈입니다.

20 $\frac{1}{11}<\frac{1}{9}$이므로 집에서 더 먼 곳은 학교입니다.

③ 일차 기초 계산 연습   158~159쪽

① 0.5	② 0.7	③ 0.9
④ 0.8	⑤ 1.3	⑥ 1.6
⑦ 2.2	⑧ 2.7	⑨ 0.2
⑩ 0.6	⑪ 0.9	⑫ 1.4
⑬ 2.1	⑭ 3.9	⑮ 4.5
⑯ 6.8	⑰ 3	⑱ 5
⑲ 8	⑳ 19	㉑ 37
㉒ 52	㉓ 61	㉔ 74

① 전체를 똑같이 10으로 나눈 것 중의 5 ➡ 0.5

② 전체를 똑같이 10으로 나눈 것 중의 7 ➡ 0.7

⑤ 1과 0.3만큼이므로 1.3입니다.

⑥ 1과 0.6만큼이므로 1.6입니다.

③ 일차 **플러스 계산 연습** 160~161쪽

1 0.6 ; 영 점 육	**2** 1.8 ; 일 점 팔
3 0.5	**4** 0.9
5 1.7	**6** 2.3
7 0.4	**8** 0.8
9 2.5	**10** 3.2
11 5.6	**12** 8.9
13 3.9	**14** 6.7
15 8.3	**16** 13.5
17 2.8	**18** 7.3
19 3, 5.3	**20** 2, 9.2

3 1 mm=0.1 cm이므로 5 mm=0.5 cm입니다.

5 1 mm=0.1 cm이므로 7 mm=0.7 cm입니다.
➡ 1 cm와 0.7 cm는 1.7 cm입니다.

9 25 mm=2 cm 5 mm이므로 2.5 cm입니다.

10 32 mm=3 cm 2 mm이므로 3.2 cm입니다.

13 9 mm=0.9 cm이므로 3 cm 9 mm=3.9 cm입니다.

14 7 mm=0.7 cm이므로 6 cm 7 mm=6.7 cm입니다.

19 3 mm=0.3 cm이므로 5 cm 3 mm=5.3 cm입니다.

20 2 mm=0.2 cm이므로 9 cm 2 mm=9.2 cm입니다.

④ 일차 **기초 계산 연습** 162~163쪽

① <	**②** >	**③** >
④ >	**⑤** >	**⑥** <
⑦ >	**⑧** >	**⑨** <
⑩ <	**⑪** >	**⑫** >
⑬ >	**⑭** <	**⑮** <
⑯ >	**⑰** <	**⑱** >
⑲ =	**⑳** >	**㉑** >
㉒ <	**㉓** >	**㉔** >
㉕ <	**㉖** =	**㉗** >
㉘ <		

① 0.1<0.3 (1<3) **②** 0.5>0.2 (5>2)

⑦ 1.7>1.5 (7>5) **⑧** 2.1>1.8 (2>1)

⑨ 2.4<3.1 (2<3) **⑩** 4.3<4.9 (3<9)

⑳ 0.1이 4개인 수는 0.4입니다. ➡ 0.5>0.4 (5>4)

㉑ 0.1이 6개인 수는 0.6입니다. ➡ 0.8>0.6 (8>6)

㉓ 0.1이 33개인 수는 3.3입니다. ➡ 3.6>3.3 (6>3)

㉔ 0.1이 57개인 수는 5.7입니다. ➡ 6.1>5.7 (6>5)

④ 일차 **플러스 계산 연습** 164~165쪽

1 0.3	**2** 0.8
3 1.2	**4** 2.7
5 4.1	**6** 5.5
7 1, 2, 3에 ○표	**8** 8, 9에 ○표
9 1, 2, 3, 4, 5에 ○표	
10 7, 8, 9에 ○표	
11 ( ) (○)	**12** (○) ( )
13 (○) ( )	**14** ( ) (○)
15 >, 0.9	**16** <, 4.5
17 <, 노랑 끈	**18** <, 연필

1 0.2<0.3 (2<3) **3** 1.2>0.9 (1>0)

5 3.8<4.1 (3<4) **6** 5.5>5.3 (5>3)

7 0.□<0.4이려면 □<4이어야 합니다.
➡ □=1, 2, 3

8 0.7<0.□이려면 7<□이어야 합니다.
➡ □=8, 9

9 □.2<5.6이려면 □는 5와 같거나 5보다 작아야 합니다.
➡ □=1, 2, 3, 4, 5

10 3.6<3.□이려면 6<□이어야 합니다.
➡ □=7, 8, 9

정답과 해설

11 0.9 > 0.6
　 └9>6┘

12 2.5 < 3.1
　 └2<3┘

13 2.3 < 2.7
　 └3<7┘

14 3.5 > 3.1
　 └5>1┘

17 0.5<0.8이므로 더 긴 끈은 노랑 끈입니다.

18 14.8<15.3이므로 더 짧은 학용품은 연필입니다.

평가 | **SPEED 연산력 TEST** | **166~167쪽**

❶ $\dfrac{1}{6}$　　❷ $\dfrac{3}{5}$　　❸ $\dfrac{3}{4}$

❹ $\dfrac{4}{9}$　　❺ $\dfrac{5}{8}$　　❻ $\dfrac{7}{10}$

❼ 0.6　　❽ 0.9　　❾ 1.2

❿ 1.7　　⓫ 0.8　　⓬ 2.3

⓭ 3.2　　⓮ 2.7　　⓯ 6.4

⓰ 7.1　　⓱ >　　⓲ <

⓳ <　　⓴ <　　㉑ >

㉒ >　　㉓ >　　㉔ <

㉕ >

❷ 전체를 똑같이 5로 나눈 것 중의 3 ➡ $\dfrac{3}{5}$

❻ 전체를 똑같이 10으로 나눈 것 중의 7 ➡ $\dfrac{7}{10}$

❼ 전체를 똑같이 10으로 나눈 것 중의 6 ➡ 0.6

❿ 1과 0.7만큼이므로 1.7입니다.

⓭ 32 mm=3 cm 2 mm이므로 32 mm=3.2 cm 입니다.

⓮ 27 mm=2 cm 7 mm이므로 27 mm=2.7 cm 입니다.

⓯ 4 mm=0.4 cm이므로 6 cm 4 mm=6.4 cm 입니다.

⓱ 6>5이므로 $\dfrac{6}{7}$>$\dfrac{5}{7}$입니다.

⓴ 5>3이므로 $\dfrac{1}{5}$<$\dfrac{1}{3}$입니다.

㉔ 1.8 < 2.3
　 └1<2┘

㉕ 4.5 > 4.3
　 └5>3┘

특강 | **문장제 문제 도전하기** | **168~169쪽**

1 > ; > ; 민수

2 < ; < ; 병원

3 <, $\dfrac{3}{10}$, <, $\dfrac{4}{10}$; 진호

4 >, 0.8, >, 0.7 ; 배

5 <, 13.8, <, 16.5 ; 색연필

3 $\dfrac{3}{10}$<$\dfrac{4}{10}$이므로 초콜릿을 더 많이 남긴 사람은 진호입니다.

4 0.8>0.7이므로 더 무거운 것은 배입니다.

5 13.8<16.5이므로 길이가 더 짧은 것은 색연필 입니다.

특강 | **창의·융합·코딩·도전하기** | **170~171쪽**

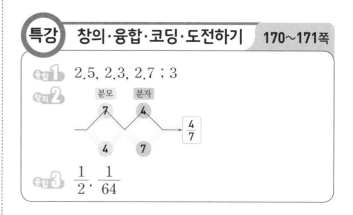

융합1　2.5, 2.3, 2.7 ; 3

창의2　(분모 7 / 분자 4 ➡ $\dfrac{4}{7}$)

융합3　$\dfrac{1}{2}$, $\dfrac{1}{64}$

융합1　1모둠: 2와 0.5만큼이므로 2.5통입니다.
　　　 2모둠: 2와 0.3만큼이므로 2.3통입니다.
　　　 3모둠: 2와 0.7만큼이므로 2.7통입니다.
　　　 ➡ 2.7>2.5>2.3이므로 우유를 가장 많이 짠 모둠은 3모둠입니다.

창의2　$\dfrac{4}{7}$에서 분모는 7이고, 분자는 4입니다.

융합3　단위분수는 분모가 작을수록 큰 수이므로 $\dfrac{1}{2}$>$\dfrac{1}{4}$>$\dfrac{1}{8}$>$\dfrac{1}{16}$>$\dfrac{1}{32}$>$\dfrac{1}{64}$입니다.
　　　 ➡ 가장 큰 수는 $\dfrac{1}{2}$이고, 가장 작은 수는 $\dfrac{1}{64}$ 입니다.

❋ 개념 ○✕ 퀴즈 정답

 ◎　　 ✕